VOL DE NUIT

UNDER THE EDITORSHIP OF

F. G. HOFFHERR
Columbia University

Antoine de Saint Exupéry

ANTOINE DE SAINT EXUPÉRY

VOL
DE NUIT

PRÉFACE D'ANDRÉ GIDE

Edited by

E. M. BOWMAN
Professor of Romance Languages
Wells College

HARPER & BROTHERS · PUBLISHERS

NEW YORK   LONDON

A MONSIEUR DIDIER DAURAT

CONTENTS

INTRODUCTION

Before the author of *Vol de nuit* had published anything, there existed between him and his future American public a bond which was none the less strong for being generally unknown this side of the Atlantic Ocean. Antoine de Saint Exupéry [1] was born in the French city of Lyons June 29, 1900, the great-great-grandson of Georges Alexandre Césarée de Saint Exupéry who, as an officer in a French regiment, had participated in the seige of Yorktown and been present at the surrender of Cornwallis in 1781.

Aviation attracted the future novelist and journalist. By 1921 he was a licensed pilot and, since that date, he has amassed a total credit of more than five thousand flying hours. In 1926 he became a pilot of the Ligne Latecoères. [2] First he flew between Toulouse and Casablanca (Morocco), then between Casablanca and Dakar (Senegal). For more than twelve months in 1927 and 1928 he was the chief of the airport at Cape Juby, a port of call for the planes of the Casablanca-Dakar run. Cape Juby is a small army post on the Atlantic coast of Rio de Oro, a Spanish possession. In discharging his duties, the French chief of this airport could theoretically coun on the cooperation of the Spanish commandant, but he had to win for himself the support of the friendly tribes of natives. From numerous indications it would seem that, during Saint Exupéry's period of duty at Cape

[1] M. de Saint Exupéry writes his name without a hyphen. Other persons, including André Gide, use a hyphen. Throughout this volume the hyphen has been retained only when it occurs in quoted texts and titles.

[2] See the "significant data" immediately following the Introduction, page xiii.

Juby, the cooperation of the Spanish was not even half-hearted.
The friendly natives, instinctive judges of character, were won
completely by him, but, unfortunately, they were few in comparison with the vast numbers of dissident natives within a
short radius of Cape Juby.   Frequently M. de Saint Exupéry
went to the rescue of grounded mail planes and assisted the
pilots in the face of enormous odds — desert, swamp, hostile
natives.

Soon after Mermoz and Daurat went to South America to
develop air-mail routes on that continent, Saint Exupéry was
relieved of duty at Cape Juby and was sent to join them.   He
piloted mail planes from Natal to Rio de Janeiro and to
Buenos Aires, and from Buenos Aires to both Asunción and
Santiago de Chile.   Much of the credit for the development of
the line from Buenos Aires south to the Straits of Magellan goes
to Saint Exupéry.   For more than a year he was stationed at
Comodoro-Rivadavia as director of the section of that line
extending from Comodoro-Rivadavia to the Straits.   When
he returned to Europe he piloted hydroplanes from Marseilles
to Algiers for the Ligne Latecoères.

In spite of the intensively active life he was leading, Saint
Exupéry had published a first novel, *Courrier sud*, in 1929, and a
second, *Vol de nuit*,[3] in 1931.   When the formation of Air-
France in 1933 brought a curtailment of the active flying personnel, his name was dropped from the list of pilots, perhaps,
as M. Fleury [4] suggests, because his success as an author somewhat obscured his brilliant accomplishments in the air-mail
service.   For some time he devoted his attention to journalism,
visiting the U.S.S.R. in May, 1935.   Later the same year he
toured the countries bordering the Mediterranean — in his
own plane, but with the approval of the French Minister of
Aviation — delivering lectures in various cities of Spain,

[3] Both published by Gallimard, Paris.
[4] J.-G. Fleury: *Saint-Exupéry, l'aviateur du désert*, an article in *Candide*,
January 9, 1936.

Morocco, Algeria, Tripoli, Turkey, Greece and Italy. Returning to France in November, he decided to compete for a prize of 150,000 francs to be awarded to the aviator who should lower the existing record for flight from Paris to Saigon (Indo-China). Since the closing date of this competition — December 31, 1935 — was drawing near, Saint Exupéry set out in spite of very unfavorable meteorological reports. When forced down in Northern Africa, he could not, for some days, communicate with the rest of the world. Public concern [5] expressed in Paris during these days proved his great popularity. Early in 1936 he was back in Paris. In May of the same year he lectured in Rumania with royal approval. During the summer of 1937 he visited besieged Madrid as the correspondent of the daily *Paris-Soir*. On January 14, 1938, Saint Exupéry left New York to fly to South America. He stopped at Atlanta, Brownsville, Vera Cruz and Guatemala. When he attempted to take off from Guatemala for San Salvador on January 16, his plane crashed, and he suffered serious but not fatal injuries.

As was stated above, Saint Exupéry published two novels before his active service in the air mail, or "Aéropostale," ended. In the first novel — *Courrier sud*, published in 1929 — the chief of the airport at Cape Juby recounts the story of Jacques Bernis, a pilot of the "Aéropostale." This is a short novel in three parts, the first of which recounts the last flight of Bernis from Toulouse as far as Alicante. The second part, equal in length to the other two combined, acquaints us with Jacques' failure in his attempt, during a two-month furlough just ended, to find in Geneviève, a childhood friend, a woman as congenial with the man he had become as the girl Geneviève

---

[5] See an anonymous note in *Marianne*, January 8, 1936; the article by Fleury cited above; and J. Kessel: *Saint-Exupéry*, in *Gringoire*, January 10, 1936. Saint Exupéry's account of this experience appeared in the *Atlantic Monthly* for July and August, 1938.

had been with the youth he used to be. In the third part Jacques continues his flight from Casablanca south to Cape Juby, where he tells the author about his last meeting with Geneviève. He takes off once more, the plane disappearing south of Port-Etienne. The chief of the airport at Cape Juby joins the search for his friend and finds him dead in the desert.

Aviation develops a distinct type of man, of which Jacques Bernis is an example. To him the author addresses the rhetorical question: "But, on your return from your first flights, what kind of man did you think you had become, and why the impulse to bring this new man face to face with the phantom of a romantic lad?"[6] After his failure, Jacques confesses to the author that he had tried to draw Geneviève into his own sphere, but something more than space was between them. "I can't tell you what: a thousand years."[7]

To present this hero Saint Exupéry adopts a style and technical construction strongly influenced by the laconic radiograms of the air-mail service. The reader is somewhat disconcerted by the "flashes" which he is called upon to harmonize for himself in order to follow the narrative. On the other hand, there are in this novel certain passages — descriptions of the appearance of the earth to the pilot during flight, of the new significance nature has for him, of the ties of friendship between aviators — which are gems of striking beauty. One reviewer[8] pardons the young author his lack of transitions and continuity because of his remarkable discoveries in the realm of style which compensate for these stylistic qualities. However, the unwarranted importance of the romantic element — it comprises one-half of the narrative — is more difficult to condone. The French film version of *Courrier sud* was first shown at an unusually favorable time, late in December, 1936,

[6] *Courrier sud*, p. 36 of the French edition.
[7] *Courrier sud*, p. 201 of the French edition.
[8] Jean Prévost in *Nouvelle revue française*, September, 1929.

when the public had just been shocked into a greater realization of the heroism of the pilots of the "Aéropostale" by the disappearance of Mermoz while flying the South Atlantic. Yet the film was decidedly unsuccessful, principally because it was weakened by the romantic element.

For the material of *Courrier sud* Saint Exupéry drew heavily on his experience in Europe and Africa. *Vol de nuit* [9] was based on his experience in South America. This second novel showed none of the weaknesses of its predecessor; on the contrary, the fine qualities of *Courrier sud* here reached perfection. The success of the novel was immediate: the author was awarded the Prix Femina in December, 1931, and the English translation, published in America the following year, was one of the selections of the Book-of-the-Month Club. The novel has been translated into eight languages other than English, and in Holland an "édition scolaire" has been published. In 1934 the American firm of Metro-Goldwyn-Mayer released a film version of the novel entitled "Night Flight," the rôle of Rivière being played by John Barrymore. To Saint Exupéry's narrative was added one cinema touch: an epidemic is curbed thanks to the transportation of serum from Santiago de Chile to Rio de Janeiro by air mail. The success of the film supplemented that of the novel.

M. André Gide presented *Vol de nuit* in a preface which forms part of this text. Following his lead, reviewers and critics lauded the heroism portrayed in the narrative, drawing attention to the broad significance the author gives this heroism by focusing the interest, not on the crew of the lost plane, but on the director of the whole network of air routes radiating from Buenos Aires. In addition they praised the

[9] The first edition of *Vol de nuit* (Gallimard, 1931) has been reprinted frequently. The text of this annotated edition is that of a copy of the one hundred eighty-eighth thousand which came from the press in December, 1936. Certain inconsequential omissions have been approved by M. de Saint Exupéry. Changes of phraseology have been incorporated at his suggestion.

author's style, his remarkable ability to give a realistic description of the earth from a new point of view, that of a pilot during flight. The text offered here will readily reveal how fully this chorus of praise was deserved.

The advisability of making *Vol de nuit* available to American students of French is beyond question. It offers an excellent specimen of contemporary French fiction and also a stirring example of heroism in contemporary times. "More the work of a moralist than of a novelist, in spite of its picturesque qualities," writes one reviewer [10] of *Vol de nuit*. Another [11] pronounces it "a work in which an author has put himself body and soul," and then asks how many such books appear each year, or even each generation.

It is to be regretted that the reader of *Vol de nuit* cannot have the privilege of knowing its author. On meeting this tall young man of athletic build and unassuming manner, one has immediately the impression that here is a man of unlimited reliance, self-confidence, enthusiasm. In December, 1935, when Saint Exupéry's friends were fearing never to see him again, one of his former superiors in the "Aéropostale" said: "His morale is the soundest I know. Don't fear, great conflicts are his natural element. He is sure to come through all right. I have never seen him helpless save in the face of petty things, meanness, stupidity." [12] Yet one discovers, sooner or later, that his dominant trait is kindness. Better acquaintance fully bears out the impression of Saint Exupéry gained by the reader of his series of articles in *Paris-Soir* during the summer of 1937. He is a man dominated not by creed or political doctrine, but by pity, by sympathy, by profound interest in the well-being of his fellows.

[10] J. Charpentier in *Mercure de France*, December 15, 1931.
[11] B. Crémieux in *Nouvelle revue française*, November, 1931.
[12] See Fleury, *op. cit.*

NOTE [13]

Significant Data Concerning the Development
of French Commercial Aviation, with Special
Emphasis on the "Ligne Latecoères."

Feb. 8, 1919. . . .   Pilot Lucien Boussoutrot flies from Paris
to London with fifteen passengers.

1919. . . . .   Ligne Latecoères, one of first "Compagnies de Navigation aérienne," founded
to develop and exploit airplane service
between Toulouse and Algeria and between Toulouse and Morocco.

1920. . . . .   Twelve "Compagnies de Navigation
aérienne" operating.

1923. . . . .   Jean Mermoz enters service of the Ligne
Latecoères and, serving under director
Didier Daurat,[14] assists in establishing
regular service between Toulouse and
Casablanca (Morocco).

1925. . . . .   The twelve "Compagnies de Navigation
aérienne" of 1920 have been reduced to
five by consolidation, the Ligne Latecoères
being one of these five.

1926. . . . .   Regular service between Toulouse and
Casablanca having been established,
Daurat and Mermoz collaborate with others
in establishing regular service between Casablanca and Saint-Louis and Dakar (two
seaports of the French colony of Senegal).

[13] Principal sources are Jean Mermoz: *Mes vols*, Flammarion, Paris,
1937; Jacques Mortane: *Au Péril de l'air*, Baudinière, Paris, 1935;
Jacques Mortane: *La Belle Vie des pilotes de ligne*, Mame, Tours, 1936.

[14] **Didier Daurat:** Director of the air-mail system France-Amérique
du Sud for the Latecoères Lines from 1919 to 1933. Recently in charge
of the development of the delivery of mail by airplane to points within
France at rates applying to ordinary delivery. To him *Vol de nuit* was
dedicated.

1928.......... Daurat and Mermoz begin development of air-mail service between Natal (Brazil) and Buenos Aires by way of Rio de Janeiro. Mermoz experiments successfully with night-flights out of Buenos Aires.

1929.......... Paris only seven days from Buenos Aires by air mail, service between Dakar and Natal being assured by fast despatch boats or *avisos*.

Buenos Aires linked by air-mail service with Asunción (Paraguay), Santiago de Chile, and with Rio Gallegos on the Straits of Magellan.

May 12–13, 1930 Mermoz completes first crossing of the South Atlantic from Dakar to Natal by hydroplane.

1931.......... Five "Compagnies de Navigation aérienne" have developed operations to the extent of employing a total of 100 pilots.

Jan. 16, 1933 ... Mermoz completes crossing from Saint-Louis to Natal in airplane *Arc-en-Ciel*.

Sept. 1, 1933 ... Five "Compagnies de Navigation aérienne" consolidate in one, Air-France; M. Allegre, general director of the strongest of the five, Ligne Air-Orient, becomes general director of Air-France; total number of pilots reduced to 91.

Dec., 1935 ..... Paris only five days from Buenos Aires by air mail, service between Dakar and Natal being assured by airplane.

Dec. 7, 1936.... Mermoz, making his twenty-fourth air-mail crossing from Dakar to Natal, disappears with the rest of the crew of the airplane Croix-du-Sud.

PREFACE[1]

Il s'agissait, pour les Compagnies de Navigation aérienne,[2] de lutter de vitesse avec les autres moyens de transport. C'est ce qu'expliquera, dans ce livre, Rivière, admirable figure de chef: « C'est pour nous[3] une question de vie ou de mort, puisque nous perdons, chaque nuit, l'avance gagnée, pendant le jour, sur les chemins de fer et les navires.» Ce service nocturne, fort critiqué d'abord, admis désormais, et devenu pratique après le risque des premières expériences, était encore, au moment de ce récit,[4] fort hasardeux; à l'impalpable péril des routes aériennes semées de surprises, s'ajoute[5] donc ici le perfide mystère de la nuit. Si grands que demeurent encore les risques,[6] je me hâte[7] de dire qu'ils vont diminuant de jour en jour, chaque nouveau voyage facilitant et assurant un peu mieux le suivant. Mais il y a pour l'aviation, comme pour l'exploration des terres inconnues, une première période héroïque, et Vol de nuit, *qui nous peint la tragique aventure d'un de ces pionniers de l'air, prend tout naturellement un ton d'épopée.*

[1] **Préface:** Read the introductory note to the vocabulary, p. 93.

[2] **Compagnies de Navigation aérienne:** See Introduction, p. xiv.

[3] **C'est pour nous, etc.:** See pp. viii and xiv for the source of this quotation.

[4] **au moment de ce récit:** Late in 1928 or in 1929. See Introduction, pp. viii and xiv.

[5] **s'ajoute:** Reflexive in French, equivalent to the passive in English. All reflexive verbs in the text will be found in the vocabulary except (1) those equivalent to the passive in English, and (2) those of which the English equivalent is the reflexive form of the verb which translates the French verb without the reflexive pronoun.

[6] **Si grands que demeurent encore les risques:** Translate *however great the risks may still be* (remain). **Demeurent** is subjunctive. **Pour** or **quelque** (invariable) may be substituted for **si** without changing the meaning.

[7] **je me hâte:** Many verbs, like **hâter**, are transitive in the simple form and intransitive in the reflexive. Consult the vocabulary.

J'aime le premier livre de Saint-Exupéry, mais celui-ci bien davantage. Dans Courrier sud,[8] *aux souvenirs de l'aviateur, notés avec une précision saisissante, se mêlait une intrigue [9] sentimentale qui rapprochait de nous le héros. Si susceptible de tendresse, ah! que nous le sentions [10] humain, vulnérable. Le héros de* Vol de nuit, *non déshumanisé certes, s'élève à une vertu surhumaine. Je crois que ce qui me plaît surtout dans ce récit frémissant, c'est sa noblesse. Les faiblesses, les abandons, les déchéances de l'homme, nous les connaissons de reste et la littérature de nos jours n'est que trop habile à les dénoncer; mais ce surpassement de soi qu'obtient la volonté tendue, c'est là ce que nous avons surtout besoin qu'on nous montre.*

Plus étonnante encore que la figure de l'aviateur, m'apparaît celle de Rivière, son chef. Celui-ci n'agit pas lui-même; il fait agir, insuffle à ses pilotes sa vertu, exige d'eux le maximum, et les contraint à la prouesse. Son implacable décision ne tolère pas la faiblesse, et, par lui, la moindre défaillance est punie. Sa sévérité peut, au premier abord paraître inhumaine, excessive. Mais c'est aux imperfections qu'elle s'applique, non point à l'homme même, que Rivière prétend forger.[11] On sent, à travers cette peinture, toute l'admiration de l'auteur. Je lui sais gré particulièrement d'éclairer cette vérité paradoxale, pour moi d'une importance psychologique considérable: que le bonheur de l'homme n'est pas dans la liberté, mais dans l'acceptation d'un devoir. Chacun des personnages de ce livre est ardemment, totalement dévoué à ce qu'il doit faire, à cette tâche périlleuse dans le seul accomplissement de laquelle il trouvera le repos du bonheur. Et l'on entrevoit bien que Rivière n'est nullement insensible (rien de plus émouvant que le récit de la visite qu'il reçoit de la femme du disparu)

---

[8] Courrier sud: Novel by Saint Exupéry, published in 1929. See Introduction.

[9] aux souvenirs... se mêlait une intrigue: Note the difference between se mêler à and se mêler de.

[10] Si susceptible... que nous le sentions: Translate *so capable... that.* Sentions is the imperfect indicative, not the subjunctive.

[11] prétend forger: Translate *hopes* or *intends to mold.* When prétendre is followed by a clause instead of an infinitive, the verb in the dependent clause is indicative after *hope* and subjunctive after *intend* or *wish.*

et qu'il ne lui faut pas moins de courage [12] *pour donner ses ordres qu'à ses pilotes pour les exécuter.*

« *Pour se faire aimer, dira-t-il, il suffit de plaindre. Je ne plains guère, ou je le cache... je suis surpris parfois de mon pouvoir* ». *Et encore:* « *Aimez ceux que vous commandez; mais sans le leur dire* ».

C'est aussi que [13] *le sentiment du devoir domine Rivière*; « *l'obscur sentiment d'un devoir, plus grand que celui d'aimer* ». *Que l'homme ne trouve point sa fin en lui-même, mais se subordonne et sacrifie à je ne sais quoi, qui le domine et vit de lui. Et j'aime à retrouver ici cet* « *obscur sentiment* » *qui faisait dire* [14] *paradoxalement à mon Prométhée:* [15] « *je n'aime pas l'homme, j'aime ce qui le dévore* ». *C'est la source de tout héroïsme:* « *Nous agissons,* [16] *pensait Rivière, comme si quelque chose dépassait, en valeur, la vie humaine... Mais quoi?* » *Et encore:* « *Il existe peut-être quelque chose* [17] *d'autre à sauver, et de plus durable; peut-être est-ce* [18] *à sauver cette part de l'homme, que Rivière travaille* ». *N'en doutons pas.*

En un temps où la notion de l'héroïsme tend à déserter l'armée, puisque les vertus viriles risquent de demeurer sans emploi dans les guerres de demain dont les chimistes nous invitent à pressentir la future horreur, n'est-ce pas dans l'aviation que nous voyons se déployer le plus admirablement et le plus utilement le courage? Ce qui serait témérité,

---

[12] **il ne lui faut pas moins de courage:** Translate *he needs no less courage.* Note that the negative used with **falloir** almost always applies to the noun or verb which follows and not to **falloir.**

[13] **C'est... que:** Translate *that's because, the fact is that,* or *it is a fact that.*

[14] **faisait dire:** Note that when, in the combination of **faire** and an infinitive, both verbs have objects, the object of **faire** is indirect (à **Prométhée**) and the object of the dependent infinitive is direct (quotation "**je n'aime**," etc.).

[15] **Prométhée:** Reference to "**Le Prométhée mal enchaîné**" of Gide, first published in 1899. The sentences quoted are found in Chapter V of the section entitled "**La Détention de Prométhée.**"

[16] **Nous agissons:** See p. 56, ll. 23–26, for the source of this quotation.

[17] **Il existe... quelque chose:** Translate *there exists something.* **Il** is impersonal, anticipatory subject. For the origin of this quotation, see p. 57, ll. 8–10.

[18] **peut-être est-ce:** When **peut-être** stands first in a clause it is usually followed by inverted order of subject and verb (as here) or by **que.**

cesse de l'être dans un service commandé. Le pilote, qui risque sans cesse sa vie, a quelque droit de sourire à l'idée que nous nous faisons d'ordinaire du « courage ». Saint-Exupéry me permettra-t-il de citer une lettre de lui, déjà ancienne; elle remonte au temps où il survolait la Mauritanie pour assurer le service Casablanca-Dakar:

« *Je ne sais quand je rentrerai, j'ai* [19] *tant de travail depuis quelques mois: recherches de camarades perdus; dépannages d'avions tombés en territoires dissidents, et quelques courriers sur Dakar.*

Je viens de réussir un petit exploit: passé [20] *deux jours et deux nuits avec onze Maures et un mécanicien, pour sauver un avion. Alertes diverses et graves. Pour la première fois, j'ai entendu siffler des balles sur ma tête. Je connais enfin ce que je suis dans cette ambiance-là: beaucoup plus calme que les Maures. Mais j'ai aussi compris, ce qui m'avait toujours étonné: pourquoi Platon (ou Aristote?) place le courage au dernier rang des vertus. Ce n'est pas fait de bien beaux sentiments: un peu de rage, un peu de vanité, beaucoup d'entêtement et un plaisir sportif vulgaire. Surtout l'exaltation de sa force physique, qui pourtant n'a rien à y voir. On croise les bras sur sa chemise ouverte et on respire bien. C'est plutôt agréable. Quand ça se produit la nuit, il s'y mêle le sentiment d'avoir fait une immense bêtise. Jamais plus je n'admirerai un homme qui ne serait que courageux.* »

Je pourrais mettre en épigraphe à cette citation un apophtegme extrait du livre de Quinton [21] *(que je suis loin d'approuver toujours):*

« *On se cache d'être brave comme d'aimer* »; *ou mieux encore:* « *Les braves cachent leurs actes comme les honnêtes gens leurs aumônes. Ils les déguisent ou s'en excusent.* »

Tout ce que Saint-Exupéry raconte, il en parle « *en connaissance de cause* ». *Le personnel affrontement d'un fréquent péril donne à son*

---

[19] **j'ai:** Translate *I have had* or *I have been having* because it is followed by **depuis.**

[20] **passé:** Understand **j'ai** before **passé.**

[21] **Quinton:** René Quinton (1866–1925). French biologist who manifested much interest in aviation and encouraged its development in France. The two quotations given here are found on page 50 of the first and only edition of his posthumous volume, "**Maximes sur la guerre,**" published in 1930.

livre une saveur authentique et inimitable.   Nous avons eu de nombreux
récits de guerre ou d'aventures imaginaires où l'auteur parfois faisait
preuve d'un souple talent, mais qui prêtent à sourire aux vrais aven-
turiers ou combattants qui les lisent.   Ce récit, dont j'admire aussi bien
la valeur littéraire, a d'autre part la valeur d'un document, et ces deux
qualités, si inespérément unies donnent à Vol de nuit *son exception-*
nelle importance.

André GIDE.[22]

[22] **André Gide:** French poet, critic, novelist and dramatist, born in
1869.   Protagonist of intellectual liberation, he has exercised a marked
influence on many contemporary men of letters.

1

Les collines, sous l'avion, creusaient déjà leur sillage d'ombre dans l'or du soir. Les plaines devenaient lumineuses mais d'une inusable lumière: dans ce pays elles n'en finissent pas de rendre leur or de même qu'après l'hiver, elles n'en finissent pas de rendre leur neige.

Et le pilote Fabien, qui ramenait de l'extrême Sud, vers Buenos-Ayres, le courrier de Patagonie, reconnaissait l'approche du soir aux mêmes signes que les eaux d'un port: à ce calme, à ces rides légères qu'à peine dessinaient de tranquilles nuages. Il entrait dans une rade immense et bienheureuse. 10

Il eût pu croire [1] aussi, dans ce calme, faire une lente promenade, presque comme un berger. Les bergers de Patagonie vont, sans se presser, d'un troupeau à l'autre: il allait d'une ville à l'autre, il était le berger des petites villes. Toutes les deux heures il en rencontrait qui venaient boire au bord des fleuves ou qui broutaient leur plaine.

Quelquefois, après cent kilomètres de steppes plus inhabitées que la mer, il croisait une ferme perdue, et qui semblait emporter en arrière, dans une houle de prairies, sa charge de vies 20 humaines, alors il saluait des ailes ce navire.

« San Julian est en vue; nous atterrirons dans dix minutes ».

Le radio navigant passait la nouvelle à tous les postes de la ligne.

---

[1] **Il eût pu croire:** Translate *he could have believed.* Note that a past tense of **pouvoir** (also **vouloir** and **devoir**) followed by a present infinitive is frequently best translated into English by a present or past tense for the main verb, followed by a perfect infinitive.

Sur deux mille cinq cents kilomètres, du détroit de Magellan à Buenos-Ayres, des escales semblables s'échelonnaient; mais celle-ci s'ouvrait sur les frontières de la nuit comme, en Afrique, sur le mystère, la dernière bourgade soumise.

Le radio passa un papier au pilote:

« — Il y a tant d'orages que les décharges remplissent mes écouteurs. Coucherez-vous à San Julian? »

Fabien sourit: le ciel était calme comme un aquarium et toutes les escales, devant eux, leur signalaient « Ciel pur, vent nul ». Il répondit:

« — Continuerons. »

Mais le radio pensait que des orages s'étaient installés quelque part, comme des vers s'installent dans un fruit; la nuit serait[2] belle et pourtant gâtée: il lui répugnait d'entrer dans cette ombre prête à pourrir.

En descendant moteur au ralenti sur San Julian, Fabien se sentit las. Tout ce qui fait douce la vie des hommes grandissait vers lui: leurs maisons, leurs petits cafés, les arbres de leur promenade. Il était semblable à un conquérant, au soir de ses conquêtes, qui se penche sur les terres de l'empire, et découvre l'humble bonheur des hommes. Fabien avait besoin de déposer les armes, de ressentir sa lourdeur et ses courbatures, on est riche aussi de ses misères, et d'être ici un homme simple, qui regarde par la fenêtre une vision désormais immuable. Ce village minuscule, il l'eût accepté: après avoir choisi on se contente du hasard de son existence et on peut l'aimer. Il vous borne comme l'amour. Fabien eût désiré vivre ici longtemps, prendre sa part ici d'éternité, car les petites villes, où il vivait une heure, et les jardins clos de vieux murs, qu'il traversait, lui semblaient éternels de durer en dehors de lui.[3] Et le village montait vers l'équipage et vers lui s'ouvrait. Et Fabien

[2] **serait:** Translate *might* or *could well be*. Conditional used to express possibility.

[3] **de durer en dehors de lui:** Translate *because they lasted outside the sphere of his life.*

pensait aux amitiés, aux filles tendres, à l'intimité des nappes blanches, à tout ce qui, lentement, s'apprivoise pour l'éternité. Et le village coulait déjà au ras des ailes, étalant le mystère de ses jardins fermés que leurs murs ne protégeaient plus. Mais Fabien, ayant atterri, sut [4] qu'il n'avait rien vu, sinon le mouvement lent de quelques hommes parmi leurs pierres. Ce village défendait, par sa seule immobilité, le secret de ses passions, ce village refusait sa douceur: il eût fallu renoncer à l'action pour la conquérir.

Quand les dix minutes d'escale furent écoulées, Fabien dut repartir.

Il se retourna vers San Julian: ce n'était plus qu'une poignée de lumières, puis d'étoiles, puis se dissipa la poussière qui, pour la dernière fois, le tenta.

« Je ne vois plus les cadrans: j'allume. »

Il toucha les contacts, mais les lampes rouges de la carlingue versèrent vers les aiguilles une lumière encore si diluée dans cette lumière bleue qu'elle ne les colorait pas. Il passa les doigts devant une ampoule: ses doigts se teintèrent à peine.

« Trop tôt. »

Pourtant la nuit montait, pareille à une fumée sombre, et déjà comblait les vallées. On ne distinguait plus celles-ci des plaines. Déjà pourtant s'éclairaient les villages, et leurs constellations se répondaient. Et lui aussi, du doigt, faisait cligner ses feux de position, répondait aux villages. La terre était tendue d'appels lumineux, chaque maison allumant son étoile, face à l'immense nuit, ainsi qu'on tourne un phare vers la mer. Tout ce qui couvrait une vie humaine déjà scintillait. Fabien admirait que l'entrée dans la nuit se fît cette fois, comme une entrée en rade, lente et belle.

Il enfouit sa tête dans la carlingue. Le radium des aiguilles commençait à luire. L'un après l'autre le pilote vérifia des

[4] sut: Frequently, as here, the preterite and perfect tenses of **savoir** are equivalent to *learned* or *realized* in English.

chiffres et fut content. Il se découvrait solidement assis dans ce ciel. Il effleura du doigt un longeron d'acier, et sentit dans le métal ruisseler la vie: le métal ne vibrait pas, mais vivait. Les cinq cents chevaux du moteur faisaient naître dans la matière un courant très doux, qui changeait sa glace en chair de velours. Une fois de plus, le pilote n'éprouvait, en vol, ni vertige, ni ivresse, mais le travail mystérieux d'une chair vivante.

Maintenant il s'était recomposé un monde, il y jouait des coudes pour s'y installer bien à l'aise.

10 Il tapota le tableau de distribution électrique, toucha les contacts un à un, remua un peu, s'adossa mieux, et chercha la position la meilleure pour bien sentir les balancements des cinq tonnes de métal qu'une nuit mouvante épaulait. Puis il tâtonna, poussa en place sa lampe de secours, [5] l'abandonna, la retrouva, s'assura qu'elle ne glissait pas, la quitta de nouveau pour tapoter chaque manette, les joindre à coup sûr, instruire ses doigts pour un monde d'aveugle. Puis, quand ses doigts le connurent [6] bien, il se permit d'allumer une lampe, d'orner sa carlingue d'instruments précis, et surveilla sur les cadrans 20 seuls, son entrée dans la nuit, comme une plongée. Puis, comme rien ne vacillait, ni ne vibrait, ni ne tremblait, [7] et que [8] demeuraient fixes son gyroscope, son altimètre et le régime du moteur, il s'étira un peu, appuya sa nuque au cuir du siège, et commença cette profonde méditation du vol, où l'on savoure une espérance inexplicable.

[5] **lampe de secours:** Light of flash-light type suspended by a cord or strap about the neck of the pilot and carried in a position enabling him to turn it on instantly in case of failure of the pilot's light. (Information furnished by M. de Saint Exupéry.)

[6] **connurent:** Frequently, as here, the preterite and perfect tenses of **connaître** are equivalent to *met* or *became acquainted with* in English. Compare note 4, p. 3.

[7] **ne vacillait, ni ne vibrait, ni ne tremblait:** Note the position and use of **ne** and **ni** when the correlatives *neither . . . nor* connect two or more simple forms of verbs.

[8] **que:** Frequently used to avoid repetition of another conjunction, here **comme**.

Et maintenant, au cœur de la nuit comme un veilleur, il découvre que la nuit montre l'homme: ces appels, ces lumières, cette inquiétude. Cette simple étoile dans l'ombre: l'isolement d'une maison. L'une s'éteint: c'est une maison qui se ferme sur son amour.

Ou sur son ennui. C'est une maison qui cesse de faire son signal au reste du monde. Ils ne savent pas ce qu'ils espèrent ces paysans accoudés à la table devant leur lampe: ils ne savent pas que leur désir porte si loin, dans la grande nuit qui les enferme. Mais Fabien le découvre quand il vient de dix mille kilomètres et sent des lames de fond profondes soulever et descendre l'avion qui respire, quand il a traversé dix orages, comme des pays de guerre, et, entre eux, des clairières de lune, et quand il gagne ces lumières, l'une après l'autre, avec le sentiment de vaincre. Ces hommes croient que leur lampe luit pour l'humble table, mais à quatre-vingts kilomètres d'eux, on est déjà touché par l'appel de cette lumière, comme s'ils la balançaient désespérés, d'une île déserte, devant la mer.

2

Ainsi les trois avions postaux de la Patagonie, du Chili et du Paraguay revenaient du Sud, de l'Ouest et du Nord vers Buenos-Ayres. On y attendait leur chargement pour donner le départ, vers minuit, à l'avion d'Europe.

Trois pilotes, chacun à l'arrière d'un capot lourd comme un chaland, perdus dans la nuit, méditaient leur vol, et, vers la ville immense, descendraient lentement de leur ciel d'orage ou de paix, comme d'étranges paysans descendent de leurs montagnes.

10 Rivière, responsable du réseau entier, se promenait de long en large sur le terrain d'atterrissage de Buenos-Ayres. Il demeurait silencieux car, jusqu'à l'arrivée des trois avions, cette journée, pour lui, restait redoutable. Minute par minute, à mesure que les télégrammes lui parvenaient, Rivière avait conscience d'arracher quelque chose au sort, de réduire la part d'inconnu, et de tirer ses équipages, hors de la nuit, jusqu'au rivage.

Un manœuvre [1] aborda Rivière pour lui communiquer un message du poste Radio:

20 — Le courrier du Chili signale qu'il aperçoit les lumières de Buenos-Ayres.

— Bien.

Bientôt Rivière entendrait cet avion: la nuit en livrait un déjà, ainsi qu'une mer, pleine de flux et de reflux et de mystères, livre à la plage le trésor qu'elle a si longtemps ballotté. Et plus tard on recevrait d'elle les deux autres.

[1] **manœuvre:** Of either masculine or feminine gender, depending on the meaning. See vocabulary.

Alors cette journée serait liquidée. Alors les équipes usées iraient dormir, remplacées par les équipes fraîches. Mais Rivière n'aurait point de repos: le courrier d'Europe, à son tour, le chargerait d'inquiétudes. Il en serait toujours ainsi. Toujours. Pour la première fois ce vieux lutteur s'étonnait de se sentir las. L'arrivée des avions ne serait jamais cette victoire qui termine une guerre, et ouvre une ère de paix bienheureuse. Il n'y aurait jamais, pour lui, qu'un pas de fait [2] précédant mille pas semblables. Il semblait à Rivière qu'il soulevait [3] un poids très lourd, à bras tendus, depuis long- [10] temps: un effort sans repos et sans espérance. « Je vieillis... » Il vieillissait si dans l'action seule il ne trouvait plus sa nour-riture. Il s'étonna de réfléchir sur des problèmes qu'il ne s'était jamais posés. Et pourtant revenait contre lui, avec un murmure mélancolique, la masse des douceurs qu'il avait toujours écartées: un océan perdu. « Tout cela est donc si proche?... » Il s'aperçut qu'il avait peu à peu repoussé vers la vieillesse, pour « quand il aurait le temps, » ce qui fait douce la vie des hommes. Comme si réellement on pouvait avoir le temps un jour, comme si l'on gagnait, à l'extrémité de la vie, [20] cette paix bienheureuse que l'on imagine. Mais il n'y a pas de paix. Il n'y a peut-être pas de victoire. Il n'y a pas d'arrivée définitive de tous les courriers.

Rivière s'arrêta devant Leroux, un vieux contremaître qui travaillait. Leroux, lui aussi, travaillait depuis quarante ans. Et le travail prenait toutes ses forces. Quand Leroux rentrait chez lui vers dix heures du soir, ou minuit, ce n'était pas un autre monde qui s'offrait à lui, ce n'était pas une évasion.

---

[2] **un pas de fait:** In the dictionary of Littré this construction is ex-plained by assigning to **de** an expletive force and understanding **a** parti-tive force with **fait.** Therefore the sentence is equivalent to **de (pas) faits, il n'y aurait jamais, pour lui, qu'un pas précédant mille pas semblables.** Translate *one step taken* or *one operation completed.* The adjec-tive agrees with the noun preceding **de.**

[3] **soulevait:** Translate *had been raising* or *holding* because **depuis** follows. Compare note 19, p. xviii.

Rivière sourit à cet homme qui relevait son visage lourd, et
désignait un axe bleu: « Ça tenait trop dur, mais je l'ai eu. »
Rivière se pencha sur l'axe.   Rivière était repris par le métier.
« Il faudra dire aux ateliers d'ajuster ces pièces-là plus libres. »
Il tâta du doigt les traces du grippage, puis considéra de nouveau Leroux.   Une drôle de question [4] lui venait aux lèvres,
devant ces rides sévères.   Il en souriait:

— Vous vous êtes beaucoup occupé d'amour, Leroux, dans
votre vie?

10　— Oh! l'amour, vous savez, monsieur le Directeur...[5]

— Vous êtes comme moi, vous n'avez jamais eu le temps.

— Pas bien beaucoup...

Rivière écoutait le son de la voix, pour connaître si la
réponse était amère: elle n'était pas amère.   Cet homme
éprouvait, en face de sa vie passée, le tranquille contentement
du menuisier qui vient de polir une belle planche: « Voilà.
C'est fait. »

« Voilà, pensait Rivière, ma vie est faite. » [6]

Il repoussa toutes les pensées tristes qui lui venaient de sa
20 fatigue, et se dirigea vers le hangar, car l'avion du Chili
grondait.

[4] **Une drôle de question:** Translate *a queer question.*   **De** may unite a
general noun or an adjective used as a noun and a noun of particular
significance which serves to distinguish the subject under consideration
from others similar — here a *question* from other queer things.   In leading
from **drôle** to the climax of **question, de** is mildly expletive.   Compare
note 2, above.

[5] **monsieur le Directeur:** The definite article is always used in French
between **Monsieur, Madame, Mademoiselle** and a title.   Do not translate **le.**

[6] **Voilà, pensait Rivière, ma vie...:** Note the inversion in **pensait
Rivière;** obligatory for verbs of *thinking, saying, crying,* etc., when used
parenthetically within or immediately following quotations.

3

Le son de ce moteur lointain devenait de plus en plus dense.
Il mûrissait. On donna les feux. Les lampes rouges du
balisage dessinèrent un hangar, des pylônes de T. S. F., un
terrain carré. On dressait une fête.

— Le voilà!

L'avion roulait déjà dans le faisceau des phares. Si brillant
qu'il en [1] semblait neuf. Mais, quand il eut stoppé enfin
devant le hangar, tandis que les mécaniciens et les manœuvres
se pressaient pour décharger la poste, le pilote Pellerin ne
bougea pas.   10

— Eh bien? qu'attendez-vous pour descendre?

Le pilote, occupé à quelque mystérieuse besogne, ne daigna
pas répondre. Probablement il écoutait encore tout le bruit
du vol passer en lui. Il hochait lentement la tête, et, penché
en avant, manipulait on ne sait quoi. Enfin il se retourna vers
les chefs et les camarades, et les considéra gravement, comme
sa propriété. Il semblait les compter et les mesurer et les
peser, et il pensait qu'il les avait bien gagnés, et aussi ce hangar
de fête et ce ciment solide et, plus loin, cette ville avec son
mouvement, ses femmes et sa chaleur. Il tenait ce peuple 20
dans ses larges mains, comme des sujets, puisqu'il pouvait les
toucher, les entendre et les insulter. Il pensa d'abord les
insulter d'être là tranquilles, sûrs de vivre, admirant la lune,
mais il fut débonnaire:

[1] en: *On account of it* (*brilliance*). May be omitted in translation or the
sentence may be recast: *such was its brilliance that it made the plane seem new.*

— ...Paierez à boire! [2]

Et il descendit.

Il voulut raconter son voyage:

— Si vous saviez!...

Jugeant sans doute en avoir assez dit, il s'en fut retirer son cuir.

Quand la voiture l'emporta vers Buenos-Ayres en compagnie d'un inspecteur morne et de Rivière silencieux, il devint triste: c'est beau de se tirer [3] d'affaire, et de lâcher avec santé, 10 en reprenant pied, de bonnes injures. Quelle joie puissante! Mais ensuite, quand on se souvient, on doute on ne sait de quoi. [4]

La lutte dans le cyclone, ça, au moins, c'est réel, c'est franc. Mais non le visage des choses, ce visage qu'elles prennent quand elles se croient seules. Il pensait:

« C'est tout à fait pareil à une révolte: des visages qui pâlissent à peine, mais changent tellement! »

Il fit un effort pour se souvenir.

Il franchissait, paisible, la Cordillère des Andes. [5] Les neiges de l'hiver pesaient sur elle de toute leur paix. Les 20 neiges de l'hiver avaient fait la paix dans cette masse, comme les siècles dans les châteaux morts. Sur deux cents kilomètres d'épaisseur, plus un homme, [6] plus un souffle de vie, plus un effort. Mais des arêtes verticales, qu'à six mille d'altitude [7]

[2] **...Paierez à boire:** (*You*) *will pay for something to drink,* or *the drinks will be on you.*

[3] **c'est beau de se tirer:** Omit de (equivalent to *namely* in English) in translation.

[4] **on doute on ne sait de quoi:** The equivalent of the direct object of *to doubt* in English becomes the object of **de** after **douter.**

[5] **Cordillère des Andes:** Translate (*the chain of*) *the Andes.* **Cordellière** comes from the Spanish *cordillera* and is used in connection with several mountain chains. Since the Andes form the largest system thus named, **Cordillière** is sometimes used alone without **Andes.**

[6] **plus un homme:** Translate *not one man.* **Plus** is negative, ne being omitted because the main verb *there was* or *there existed* is not expressed.

[7] **à six mille (mètres) d'altitude (au-dessus du niveau de la mer).** Words in parentheses are understood.

on frôle, mais des manteaux de pierre qui tombent droit, mais une formidable tranquillité.

Ce fut aux environs du Pic Tupungato...

Il réfléchit.   Oui, c'est bien là qu'il fut le témoin d'un miracle.

Car il n'avait d'abord rien vu, mais s'était simplement senti gêné, semblable à quelqu'un qui se croyait seul, qui n'est plus seul, que l'on regarde.   Il s'était senti, trop tard et sans bien comprendre comment, entouré par de la colère.   Voilà. D'où venait cette colère?   10

A quoi devinait-il qu'elle suintait des pierres, qu'elle suintait de la neige?   Car rien ne semblait venir à lui, aucune tempête sombre n'était en marche.   Mais un monde à peine différent, sur place, sortait de l'autre.   Pellerin regardait, avec un serrement de cœur inexplicable, ces pics innocents, ces arêtes, ces crêtes de neige, à peine plus gris, et qui pourtant commençaient à vivre — comme un peuple.

Sans avoir à lutter, il serrait les mains sur les commandes. Quelque chose se préparait qu'il ne comprenait pas.   Il bandait ses muscles, tel une bête qui va sauter, mais il ne voyait 20 rien qui ne fût calme.   Oui, calme, mais chargé d'un étrange pouvoir.

Puis tout s'était aiguisé.   Ces arêtes, ces pics, tout devenait aigu: on les sentait pénétrer, comme des étraves, le vent dur. Et puis il lui sembla qu'elles viraient et dérivaient autour de lui, à la façon de navires géants qui s'installent pour le combat. Et puis il y eut, mêlée à l'air, une poussière: elle montait, flottant doucement, comme un voile, le long des neiges.   Alors, pour chercher une issue en cas de retraite nécessaire, il se retourna et trembla: toute la Cordillère, en arrière, semblait 30 fermenter.

— Je suis perdu.

D'un pic, à l'avant, jaillit la neige: un volcan de neige. Puis d'un second pic, un peu à droite.   Et tous les pics, ainsi, l'un après l'autre s'enflammèrent, comme successivement touchés par quelque invisible coureur. C'est alors qu'avec les premiers remous de l'air les montagnes autour du pilote oscillèrent.[8]

L'action violente laisse peu de traces: il ne retrouvait plus en lui le souvenir des grands remous qui l'avaient roulé. Il se rappelait seulement s'être débattu, avec rage, dans ces flammes grises.

Il réfléchit.

« Le cyclone, ce n'est rien. On sauve sa peau. Mais
10 auparavant! Mais cette rencontre que l'on fait! »

Il pensait reconnaître, entre mille, un certain visage, et pourtant il l'avait déjà oublié.

---

[8] C'est alors qu'avec...oscillèrent: In the construction c'est que with a verb in a past tense, est is usually equivalent to a past tense in English. Translate *it was then (that)*, etc.

4

Rivière regardait Pellerin. Quand celui-ci descendrait de voiture, dans vingt minutes, il se mêlerait à la foule avec un sentiment de lassitude et de lourdeur. Il penserait peut-être: « Je suis bien fatigué... sale métier! » Et à sa femme il avouerait quelque chose comme « on est mieux ici que sur les Andes. » Et pourtant tout ce à quoi les hommes tiennent si fort s'était presque détaché de lui: il venait d'en connaître la misère. Il venait de vivre quelques heures sur l'autre face du décor, sans savoir s'il lui serait permis de rétablir pour soi [1] cette ville dans ses lumières. S'il retrouverait même encore, amies d'enfance ennuyeuses mais chères, toutes ses petites infirmités d'homme. « Il y a dans toute foule, pensait Rivière, des hommes que l'on ne distingue pas, et qui sont de prodigieux messagers. Et sans le savoir eux-mêmes. A moins que... » Rivière craignait certains admirateurs. Ils ne comprenaient pas le caractère sacré de l'aventure, et leurs exclamations en faussaient le sens, diminuaient l'homme. Mais Pellerin gardait ici toute sa grandeur d'être simplement instruit, mieux que personne, sur ce que vaut le monde entrevu sous un certain jour, et de repousser les approbations vulgaires avec un lourd dédain. Aussi Rivière le félicita-t-il: « Comment avez-vous réussi? » Et l'aima de parler simplement métier, de parler de son vol comme un forgeron de son enclume.

Pellerin expliqua d'abord sa retraite coupée. Il s'excusait presque: « Aussi je n'ai pas eu le choix ». Ensuite il n'avait

[1] pour soi: Lui is more usual, but not obligatory, when the antecedent refers to a definite person. Compare on ne pense qu'à soi and le pilote ne pense qu'à lui-même.

plus rien vu: la neige l'aveuglait.   Mais de violents courants
l'avaient sauvé, en le soulevant à sept mille.[2]   « J'ai dû être
maintenu au ras des crêtes pendant toute la traversée ».   Il
parla aussi du gyroscope dont il faudrait changer de place la
prise d'air: la neige l'obturait: « Ça forme verglas, voyez-vous. »
Plus tard d'autres courants avaient culbuté Pellerin, et, vers
trois mille,[3] il ne comprenait plus comment il n'avait rien
heurté encore.   C'est qu'il survolait[4] déjà la plaine.   « Je
m'en suis aperçu tout d'un coup, en débouchant dans du ciel
10 pur. »   Il expliqua enfin qu'il avait eu, à cet instant là,
l'impression de sortir d'une caverne.

— Tempête aussi à Mendoza?

— Non.   J'ai atterri par ciel pur, sans vent.   Mais la tempête me suivait de près.

Il la décrivit parce que, disait-il, « tout de même c'était
étrange ».   Le sommet se perdait très haut dans les nuages de
neige, mais la base roulait sur la plaine ainsi qu'une lave
noire.   Une à une, les villes étaient englouties.   « Je n'ai
jamais vu ça... »   Puis il se tut, saisi par quelque souvenir.
20   Rivière se retourna vers l'inspecteur.

— C'est un cyclone du Pacifique, on nous a prévenu trop
tard.   Ces cyclones ne dépassent d'ailleurs jamais les Andes.

On ne pouvait prévoir que celui-là poursuivrait sa marche
vers l'Est.

L'inspecteur, qui n'y connaissait rien, approuva.

L'inspecteur parut hésiter, se retourna vers Pellerin, et sa
pomme d'Adam remua.   Mais il se tut.   Il reprit, après réflexion, en regardant droit devant soi, sa dignité mélancolique.

Il la promenait, ainsi qu'un bagage, cette mélancolie.
30 Débarqué la veille en Argentine, appelé par Rivière pour de

[2] à sept mille (mètres au-dessus du niveau de la mer): See note 7,
p. 10.

[3] vers trois mille (mètres au-dessus du niveau de la mer): See
note 7, p. 10.

[4] C'est qu'il survolait: See note 13, p. xvii, and note 8, p. 12.

vagues besognes, il était empêtré de ses grandes mains et de
sa dignité d'inspecteur. Il n'avait le droit d'admirer ni la
fantaisie, ni la verve: il admirait par fonction la ponctualité.
Il n'avait le droit de boire un verre en compagnie, de tutoyer
un camarade et de risquer un calembour que si, par un hasard
invraisemblable, il rencontrait, dans la même escale, un autre
inspecteur.

« Il est dur, pensait-il, d'être un juge. »

A vrai dire, il ne jugeait pas, mais hochait la tête. Ignorant
tout, il hochait la tête, lentement, devant tout ce qu'il rencon- 10
trait. Cela troublait les consciences noires et contribuait au
bon entretien du matériel. Il n'était guère aimé, car un inspecteur n'est pas créé pour les délices de l'amour, mais pour la
rédaction de rapports. Il avait renoncé à y proposer des
méthodes nouvelles et des solutions techniques, depuis que
Rivière avait écrit: « L'inspecteur Robineau est prié de nous
fournir, non des poèmes, mais des rapports. L'inspecteur
Robineau utilisera heureusement ses compétences, en stimu-
lant le zèle du personnel. » Aussi se jetait-il désormais,
comme sur son pain quotidien, sur les défaillances humaines. 20
Sur le mécanicien qui buvait, le chef d'aéroplace qui passait
des nuit blanches, le pilote qui rebondissait à l'atterrissage.

Rivière disait de lui: « Il n'est pas très intelligent, aussi
rend-il de grands services ». Un règlement établi par Rivière
était, pour Rivière, connaissance des hommes; mais pour
Robineau n'existait plus qu'une connaissance du règlement.

« — Robineau, pour tous les départs retardés, lui avait dit
un jour Rivière, vous devez faire sauter les primes d'exactitude. »

« — Même pour le cas de force majeure? Même par 30
brume? »

« — Même par brume. »

Et Robineau éprouvait une sorte de fierté d'avoir un chef si
fort qu'il ne craignait pas d'être injuste. Et Robineau lui-
même tirerait quelque majesté d'un pouvoir aussi offensant.

— Vous avez donné le départ à six heures quinze, répétait-il plus tard aux chefs d'aéroports, nous ne pourrons vous payer votre prime.

— Mais, monsieur Robineau, à cinq heures trente, on ne voyait pas à dix mètres!

— C'est le règlement.

— Mais, monsieur Robineau, nous ne pouvons pas balayer la brume!

Et Robineau se retranchait dans son mystère. Il faisait
10 partie de la direction. Seul, parmi ces totons, il comprenait comment, en châtiant les hommes, on améliorera le temps.

« Il ne pense rien, disait de lui Rivière, ça lui évite de penser faux. »

Si un pilote cassait un appareil, ce pilote perdait sa prime de non-casse.[5]

« — Mais quand la panne a eu lieu sur un bois? » s'était informé Robineau.

« — Sur un bois aussi. »

Et Robineau se le tenait pour dit.

20 — Je regrette, disait-il plus tard aux pilotes, avec une vive ivresse, je regrette même infiniment, mais il fallait avoir la panne ailleurs.

— Mais, monsieur Robineau, on ne choisit pas!

— C'est le règlement.

« Le règlement, pensait Rivière, est semblable aux rites d'une religion qui semblent absurdes mais façonnent les hommes ». Il était indifférent à Rivière de paraître juste ou injuste. Peut-être ces mots-là n'avaient-ils même pas de sens pour lui. Les petits bourgeois[6] des petites villes tournent le soir autour de
30 leur kiosque à musique et Rivière pensait: « Juste ou injuste envers eux, cela n'a pas de sens: ils n'existent pas. » L'homme

---

[5] **non-casse:** Translate *non-breakage*. Neither word accepted in either language, but meaning is quite evident.

[6] **Les petits bourgeois, etc.:** This reference to life in a small provincial town recurs several times in the course of this novel. See note 1, p. 28, and note 8, p. 57.

était pour lui une cire vierge qu'il fallait pétrir. Il fallait donner une âme à cette matière, lui créer une volonté. Il ne pensait pas les asservir par cette dureté, mais les lancer hors d'eux-mêmes. S'il châtiait ainsi tout retard, il faisait acte d'injustice mais il tendait vers le départ la volonté de chaque escale; il créait cette volonté. Ne permettant pas aux hommes de se réjouir d'un temps bouché, comme d'une invitation au repos, il les tenait en haleine vers l'éclaircie, et l'attente humiliait secrètement jusqu'au manœuvre le plus obscur. On profitait ainsi du premier défaut dans l'armure: « Débouché au 10 nord, en route! » Grâce à Rivière, sur quinze mille kilomètres, le culte du courrier primait tout.

Rivière disait parfois:

« — Ces hommes-là sont heureux, parce qu'ils aiment ce qu'ils font, et ils l'aiment parce que je suis dur. »

Il faisait peut-être souffrir, mais procurait aussi aux hommes de fortes joies. « Il faut les pousser, pensait-il, vers une vie forte qui entraîne des souffrances et des joies, mais qui seule compte. »

Comme la voiture entrait en ville, Rivière se fit conduire 20 au bureau de la Compagnie. Robineau, resté seul avec Pellerin, le regarda, et entr'ouvrit les lèvres pour parler.

5

Or Robineau ce soir était las.   Il venait de découvrir, en face
de Pellerin vainqueur, que sa propre vie était grise.   Il venait
surtout de découvrir que lui, Robineau, malgré son titre
d'Inspecteur et son autorité, valait moins que cet homme
rompu de fatigue, tassé dans l'angle de la voiture, les yeux clos
et les mains noires d'huile.   Pour la première fois Robineau
admirait.   Il avait besoin de le dire.   Il avait besoin surtout
de se gagner une amitié.   Il était las de son voyage et de ses
échecs du jour, peut-être se sentait-il même un peu ridicule.
Il s'était embrouillé, ce soir, dans ses calculs en vérifiant les
stocks d'essense, et l'agent même qu'il désirait surprendre, pris
de pitié, les avait achevés pour lui.   Mais surtout il avait
critiqué le montage d'une pompe à huile du type B. 6, la con-
fondant avec une pompe à huile du type B. 4, et les mécaniciens
sournois l'avaient laissé flétrir pendant vingt minutes « une
ignorance que rien n'excuse », sa propre ignorance.

    Il avait peur aussi de sa chambre d'hôtel.   De Toulouse à
Buenos-Ayres, il la regagnait invariablement après le travail.
Il s'y enfermait, avec la conscience des secrets dont il était
lourd, tirait de sa valise une rame de papier, écrivait lentement
« Rapport », hasardait quelques lignes et déchirait tout.   Il
aurait aimé sauver la Compagnie d'un grand péril.   Elle ne
courait aucun péril.   Il n'avait guère sauvé jusqu'à présent
qu'un moyeu d'hélice touché par la rouille.   Il avait promené
son doigt sur cette rouille, d'un air funèbre, lentement,
devant un chef d'aéroplace, qui lui avait d'ailleurs répondu :
« Adressez-vous à l'escale précédente : cet avion-là vient d'en
arriver. »   Robineau doutait de son rôle.

Il hasarda, pour se rapprocher de Pellerin:

— Voulez-vous dîner avec moi? J'ai besoin d'un peu de conversation, mon métier est quelquefois dur...

Puis corrigea pour ne pas descendre trop vite:

— J'ai tant de responsabilités!

Ses subalternes n'aimaient guère mêler Robineau à leur vie privée. Chacun pensait: « S'il n'a encore rien trouvé pour son rapport, comme il a très faim, il me mangera. »

Mais Robineau, ce soir, ne pensait guère qu'à ses misères: le corps affligé d'un gênant eczéma, son seul vrai secret, il eût aimé le raconter, se faire plaindre, et ne trouvant point de consolations dans l'orgueil, en chercher dans l'humilité. Il possédait aussi, en France, une fiancée, à qui, lors de ses retours, il racontait ses inspections, pour l'éblouir un peu et se faire aimer, mais qui justement le prenait en grippe, et il avait besoin de parler d'elle.

— Alors, vous dînez avec moi?

Pellerin, débonnaire, accepta.

6

Les secrétaires somnolaient dans les bureaux de Buenos-
Ayres, quand Rivière entra. Il avait gardé son manteau, son
chapeau, il ressemblait toujours à un éternel voyageur, et
passait presque inaperçu, tant sa petite taille déplaçait peu
d'air,[1] tant ses cheveux [2] gris et ses vêtements anonymes s'adaptaient à tous les décors. Et pourtant un zèle anima les
hommes. Les secrétaires s'émurent, le chef de bureau com-
pulsa d'urgence les derniers papiers, les machines à écrire
cliquetèrent.

10 Le téléphoniste plantait ses fiches dans le standard,[3] et
notait sur un livre épais les télégrammes.

Rivière s'assit et lut.

Après l'épreuve du Chili, il relisait l'histoire d'un jour
heureux où les choses s'ordonnent d'elles-mêmes, où les messages, dont se délivrent l'un après l'autre les aéroports franchis,
sont de sobres bulletins de victoire. Le courrier de Patagonie,
lui aussi, progressait vite: on était en avance sur l'horaire,
car les vents poussaient du Sud vers le Nord leur grande
houle favorable.

20 — Passez-moi les messages météo.

Chaque aéroport vantait son temps clair, son ciel transparent, sa bonne brise. Un soir doré avait habillé l'Amérique.

---

[1] **tant sa petite taille déplaçait peu d'air:** Translate *so little air did
his small body displace.* In French, adverbs like **combien, comme, que**
and **tant,** used with exclamatory force, come first in the clause, the word
modified (here **peu**) being placed after the verb.

[2] **tant ses cheveux,** etc.: Understand **bien** after **s'adaptaient.** See
the preceding note.

[3] **standard (téléphonique):** Understand word in parentheses.

20

Rivière se réjouit du zèle des choses.   Maintenant ce courrier luttait quelque part dans l'aventure de la nuit, mais avec les meilleures chances.

Rivière repoussa le cahier.

— Ça va.

Et sortit jeter un coup d'œil sur les services, veilleur de nuit qui veillait sur la moitié du monde.

Devant une fenêtre ouverte il s'arrêta et comprit la nuit. Elle contenait Buenos-Ayres, mais aussi, comme une vaste nef, l'Amérique.   Il ne s'étonna pas de ce sentiment de grandeur: le ciel de Santiago du Chili, un ciel étranger, mais une fois le courrier en marche vers Santiago du Chili, on vivait, d'un bout à l'autre de la ligne, sous la même voûte profonde.   Cet autre courrier maintenant dont on guettait la voix dans les écouteurs de T. S. F., les pêcheurs de Patagonie en voyaient luire les feux de bord.   Cette inquiétude d'un avion en vol, quand elle pesait sur Rivière, pesait aussi sur les capitales et les provinces, avec le grondement du moteur.

Heureux de cette nuit bien dégagée, il se souvenait de nuits de désordre, où l'avion lui semblait dangereusement enfoncé et si difficile à secourir.   On suivait du Poste Radio de Buenos-Ayres, sa plainte mêlée au grésillement des orages.   Sous cette gangue sourde, l'or de l'onde musicale se perdait.   Quelle détresse dans le chant mineur d'un courrier jeté en flèche aveugle vers les obstacles de la nuit!

Rivière pensa que la place d'un inspecteur, une nuit de veille, est au bureau.

— Faites-moi chercher Robineau.[4]

Robineau était sur le point de faire d'un pilote son ami. Il avait, à l'hôtel, devant lui déballé sa valise; elle livrait ces menus objets par quoi les inspecteurs se rapprochent du reste

---

[4] **Faites-moi chercher Robineau:** Translate *have* (*somebody*) *look up Robineau* (*for me*).   **Moi** is the so-called dative of interest and may be omitted in translation.

des hommes: quelques chemises de mauvais goût, un nécessaire de toilette, puis une photographie de femme maigre
que l'inspecteur piqua au mur. Il faisait ainsi à Pellerin
l'humble confession de ses besoins, de ses tendresses, de ses
regrets. Alignant dans un ordre misérable ses trésors, il
étalait devant le pilote sa misère. Un eczéma moral. Il
montrait sa prison.

Mais pour Robineau, comme pour tous les hommes, existait une petite lumière. Il avait éprouvé une grande douceur
en tirant du fond de sa valise, précieusement enveloppé, un
petit sac. Il l'avait tapoté longtemps sans rien dire. Puis
desserrant enfin les mains:

— J'ai ramené ça du Sahara...

L'inspecteur avait rougi d'oser une telle confidence. Il était
consolé de ses déboires et de toute cette grise vérité par de petits
cailloux noirâtres qui ouvraient une porte sur le mystère.

Rougissant un peu plus:

— On trouve les mêmes au Brésil...

Et Pellerin avait tapoté l'épaule d'un inspecteur qui se
penchait sur l'Atlantide.[5]

Par pudeur aussi Pellerin avait demandé:

— Vous aimez la géologie?

— C'est ma passion.

Seules, dans la vie, avaient été douces pour lui, les pierres.

Robineau, quand on l'appela, fut triste, mais redevint digne.

— Je dois vous quitter, monsieur Rivière a besoin de moi
pour quelques décisions graves.

Quand Robineau pénétra au bureau, Rivière l'avait oublié.
Il méditait devant une carte murale où s'inscrivait en rouge le

---

[5] **Atlantide:** *Atlantis.* An island or continent west of Gibraltar, the
inhabitants of which the Greeks once had to repulse. According to Plato
it disappeared into the sea about 9000 B.C. Some persons treat this as a
myth. Others hold that formerly a continent stretched from Mauritania
in Africa to the coasts of Venezuela in South America, a continent of
which the Canary Islands, Madeira and the Cape Verde Islands are
remnants.

réseau de la Compagnie. L'inspecteur attendait ses ordres. Après de longues minutes, Rivière, sans détourner la tête, lui demanda:

— Que pensez-vous de cette carte, Robineau?

Il posait parfois des rébus en sortant d'un songe.

— Cette carte, monsieur le Directeur...

L'inspecteur, à vrai dire, n'en pensait rien, mais, fixant la carte d'un air sévère, il inspectait en gros l'Europe et l'Amérique. Rivière d'ailleurs poursuivait, sans lui en faire part, ses méditations: « Le visage de ce réseau est beau mais dur. 10 Il nous a coûté beaucoup d'hommes, de jeunes hommes. Il s'impose ici, avec l'autorité des choses bâties, mais combien de problèmes il pose! » Cependant le but pour Rivière dominait tout.

Robineau, debout auprès de lui, fixant toujours, droit devant soi,[6] la carte, peu à peu se redressait. De la part de Rivière, il n'espérait aucun apitoiement.

Il avait une fois tenté sa chance en avouant sa vie gâchée par sa ridicule infirmité, et Rivière lui avait répondu par une boutade: « Si ça vous empêche de dormir, ça stimulera 20 votre activité. »

Ce n'était qu'une demi-boutade. Rivière avait coutume d'affirmer: « Si les insomnies d'un musicien lui font créer de belles œuvres, ce sont de belles insomnies. » Un jour il avait désigné Leroux: « Regardez-moi ça,[7] comme c'est beau, cette laideur qui repousse l'amour... » Tout ce que Leroux avait de grand il le devait [8] peut-être à cette disgrâce, qui avait réduit sa vie à celle du métier.

---

[6] **devant soi: Lui** would be more usual than **soi.** See note 1, p. 13.

[7] **Regardez-moi ça:** Translate *look at that* (*for me* or *for my sake*). See note 4, p. 21.

[8] **Tout ce que Leroux avait de grand il le devait...:** Translate *everything great about Leroux he owed.* . . . When indefinite pronouns (**qui, que, quoi, quelque chose, rien, quelqu'un, personne**) are modified by an adjective, the adjective is always in the masculine singular form in French and introduced by de (here **que...de grand**). Compare note 2, p. 7.

— Vous êtes très lié avec Pellerin?

— Euh...

— Je ne vous le reproche pas.

Rivière fit demi-tour, et, la tête penchée, marchant à petits pas, il entraînait avec lui Robineau.   Un sourire triste lui vint aux lèvres, que Robineau ne comprit pas.

— Seulement... seulement vous êtes le chef.

— Oui, fit Robineau.

Rivière pensa qu'ainsi, chaque nuit, une action se nouait ¹⁰ dans le ciel comme un drame.   Un fléchissement des volontés pouvait entraîner une défaite, on aurait peut-être à lutter beaucoup d'ici le jour.

— Vous devez rester dans votre rôle.

Rivière pesait ses mots:

— Vous commanderez peut-être à ce pilote, la nuit prochaine, un départ dangereux: il devra obéir.

— Oui...

— Vous disposez presque de la vie des hommes, et d'hommes qui valent mieux que vous...

²⁰ Il parut hésiter.

— Ça, c'est grave.

Rivière, marchant toujours à petits pas, se tut quelques secondes.

— Si c'est par amitié qu'ils vous obéissent, vous les dupez. Vous n'avez droit vous-même à aucun sacrifice.

— Non... bien sûr.

— Et, s'ils croient que votre amitié leur épargnera certaines corvées, vous les dupez aussi: il faudra bien qu'ils obéissent. Asseyez-vous là.

³⁰ Rivière doucement, de la main, poussait Robineau vers son bureau.

— Je vais vous mettre à votre place, Robineau.   Si vous êtes las, ce n'est pas à ces hommes de vous soutenir.   Vous êtes le chef.   Votre faiblesse est ridicule.   Ecrivez.

— Je...

— Ecrivez: « L'inspecteur Robineau inflige au pilote Pellerin telle sanction pour tel motif... » vous trouverez un motif quelconque.

— Monsieur le Directeur!

— Faites comme si vous compreniez Robineau. Aimez ceux que vous commandez. Mais sans le leur dire.

Robineau, de nouveau, avec zèle, ferait nettoyer les moyeux d'hélice.

Un terrain de secours communiqua par T. S. F. « Avion en vue. Avion signale: Baisse de régime, vais atterrir. » 10
On perdrait sans doute une demi-heure. Rivière connut cette irritation, que l'on éprouve quand le rapide stoppe sur la voie, et que les minutes ne délivrent plus leur lot de plaines. La grande aiguille de la pendule décrivait maintenant un espace mort: tant d'événements auraient pu tenir dans cette ouverture de compas. Rivière sortit pour tromper l'attente, et la nuit lui apparut vide comme un théâtre sans acteur. « Une telle nuit qui se perd! » Il regardait avec rancune, par la fenêtre, ce ciel découvert, enrichi d'étoiles, ce balisage divin, cette lune, l'or d'une telle nuit dilapidé.   20

Mais, dès que l'avion décolla, cette nuit pour Rivière fut encore émouvante et belle. Elle portait la vie dans ses flancs. Rivière en prenait soin:

— Quel temps rencontrez-vous, fit-il demander à l'équipage?
Dix secondes s'écoulèrent:

— Très beau.
Puis vinrent quelques noms de villes franchies, et c'était pour Rivière, dans cette lutte, des cités qui tombaient.

7

Le radio navigant du courrier de Patagonie, une heure plus tard, se sentit soulevé doucement, comme par une épaule. Il regarda autour de lui: des nuages lourds éteignaient les étoiles. Il se pencha vers le sol: il cherchait les lumières des villages, pareilles à celles de vers luisants cachés dans l'herbe, mais rien ne brillait dans cette herbe noire.

Il se sentit maussade, entrevoyant une nuit difficile: marches, contre-marches, territoires gagnés qu'il faut rendre. Il ne comprenait pas la tactique du pilote; il lui semblait que l'on se heurterait plus loin à l'épaisseur de la nuit comme à un mur.

Maintenant, il apercevait, en face d'eux, un miroitement imperceptible au ras de l'horizon: une lueur de forge. Le radio toucha l'épaule de Fabien, mais celui-ci ne bougea pas.

Les premiers remous de l'orage lointain attaquaient l'avion. Doucement soulevées, les masses métalliques pesaient contre la chair même du radio, puis semblaient s'évanouir, se fondre, et dans la nuit, pendant quelques secondes, il flotta seul. Alors il se cramponna des deux mains aux longerons d'acier.

Et comme il n'apercevait plus rien du monde que l'ampoule rouge de la carlingue, il frissonna de se sentir descendre au cœur de la nuit, sans secours, sous la seule protection d'une petite lampe de mineur. Il n'osa pas déranger le pilote pour connaître ce qu'il déciderait, et, les mains serrées sur l'acier, incliné en avant vers lui, il regardait cette nuque sombre.

Une tête et des épaules immobiles émergeaient seules de la faible clarté. Ce corps n'était qu'une masse sombre, appuyée un peu vers la gauche, le visage face à l'orage, lavé sans doute

par chaque lueur.   Mais le radio ne voyait rien de ce visage.
Tout ce qui s'y pressait de sentiments [1] pour affronter une
tempête: cette moue, cette volonté, cette colère, tout ce qui
s'échangeait d'essentiel,[2] entre ce visage pâle et, là-bas, ces
courtes lueurs, restait pour lui impénétrable.

Il devinait pourtant la puissance ramassée dans l'immobilité
de cette ombre, et il l'aimait.   Elle l'emportait sans doute
vers l'orage, mais aussi elle le couvrait.   Sans doute ces mains,
fermées sur les commandes, pesaient déjà sur la tempête,
comme sur la nuque d'une bête, mais les épaules pleines de
force demeuraient immobiles, et l'on sentait là une profonde
réserve.

Le radio pensa qu'après tout le pilote était responsable.
Et maintenant il savourait, entraîné en croupe dans ce galop
vers l'incendie, ce que cette forme sombre, là, devant lui,
exprimait de matériel [3] et de pesant, ce qu'elle exprimait de
durable.

A gauche, faible comme un phare à éclipse, un foyer nouveau s'éclaira.

Le radio amorça un geste pour toucher l'épaule de Fabien,
le prévenir, mais il le vit tourner lentement la tête, et tenir
son visage, quelques secondes, face à ce nouvel ennemi, puis,
lentement, reprendre sa position primitive.   Ces épaules
toujours immobiles, cette nuque appuyée au cuir.

---

[1] **Tout ce qui . . . de sentiments:** Translate *everything in the way of
sentiments which.* . . .   A construction with a noun (**sentiments**) analogous
to that with an adjective treated in note 8, p. 23.

[2] **tout ce qui s'echangeait d'éssentiel...:** For **tout ce qui...d'essentiel,**
see note 8, p. 23.   Translate *everything essential which.* . . .

[3] **ce que... de matériel, etc.:** See note 8, p. 23.

8

Rivière était sorti pour marcher un peu et tromper le malaise qui le reprenait, et lui, qui ne vivait que pour l'action, une action dramatique, sentait bizarrement le drame se déplacer, devenir personnel. Il pensa qu'autour de leur kiosque à musique les petits bourgeois des petites villes[1] vivaient une vie d'apparence silencieuse, mais quelquefois lourde aussi de drames : la maladie, l'amour, les deuils, et que peut-être... Son propre mal lui enseignait beaucoup de choses : « Cela ouvre certaines fenêtres », pensait-il.

10   Puis, vers onze heures du soir, respirant mieux, il s'achemina dans la direction du bureau. Il divisait lentement, des épaules, la foule qui stagnait devant la bouche des cinémas. Il leva les yeux vers les étoiles, qui luisaient sur la route étroite, presque effacées par les affiches lumineuses, et pensa : « Ce soir avec mes deux courriers en vol, je suis responsable d'un ciel entier. Cette étoile est un signe, qui me cherche dans cette foule, et qui me trouve : c'est pourquoi je me sens un peu étranger, un peu solitaire. »

Une phrase musicale lui revint : quelques notes d'une sonate 20 qu'il écoutait hier avec des amis. Ses amis n'avaient pas compris : « Cet art-là nous ennuie et vous ennuie, seulement vous ne l'avouez pas. »

« Peut-être... » avait-il répondu.

Il s'était, comme ce soir, senti solitaire, mais bien vite avait découvert la richesse d'une telle solitude. Le message de cette musique venait à lui, à lui seul parmi les médiocres, avec

---

[1] **bourgeois des petites villes:** See note 6, p. 16.

la douceur d'un secret. Ainsi le signe de l'étoile. On lui parlait, par-dessus tant d'épaules, un langage qu'il entendait seul.

Sur le trottoir on le bousculait; il pensa encore: « Je ne me fâcherai pas. Je suis semblable au père d'un enfant malade, qui marche dans la foule à petits pas. Il porte en lui le grand silence de sa maison. »

Il leva les yeux sur les hommes. Il cherchait à reconnaître ceux d'entre eux qui promenaient à petits pas leur invention ou leur amour, et il songeait à l'isolement des gardiens de phares.

Le silence des bureaux lui plut. Il les traversait lentement, l'un après l'autre, et son pas sonnait seul. Les machines à écrire dormaient sous les housses. Sur les dossiers en ordre les grandes armoires étaient fermées. Dix années d'expérience et de travail. L'idée lui vint qu'il visitait les caves d'une banque; là où pèsent les richesses. Il pensait que chacun de ces registres accumulait mieux que [2] de l'or: une force vivante. Une force vivante mais endormie, comme l'or des banques.

Quelque part il rencontrerait l'unique secrétaire de veille. Un homme travaillait quelque part pour que la vie soit continue, pour que la volonté soit continue, et ainsi, d'escale en escale, pour que jamais, de Toulouse à Buenos-Ayres, ne se rompe la chaîne.

« Cet homme-là ne sait pas sa grandeur. »

Les courriers quelque part luttaient. Le vol de nuit durait comme une maladie: il fallait veiller. Il fallait assister ces hommes qui, des mains et des genoux, poitrine contre poitrine, affrontaient l'ombre, et qui ne connaissaient plus, ne connaissaient plus rien que des choses mouvantes, invisibles, dont il fallait, à la force de bras aveugles, se tirer comme d'une mer.

---

[2] accumulait (ce qui valait) mieux que: Understand the words in parentheses.

Quels aveux terribles quelquefois: « J'ai éclairé mes mains pour les voir... » Velours des mains révélé seul dans ce bain rouge de photographe. Ce qu'il reste du monde, et qu'il faut sauver.

Rivière poussa la porte du bureau de l'exploitation. Une seule lampe allumée créait dans un angle une plage claire. Le cliquetis d'une seule machine à écrire donnait un sens à ce silence, sans le combler. La sonnerie du téléphone tremblait parfois; alors le secrétaire de garde se levait, et marchait
10 vers cet appel répété, obstiné, triste. Le secrétaire de garde décrochait l'écouteur et l'angoisse invisible se calmait: c'était une conversation très douce dans un coin d'ombre. Puis, impassible, l'homme revenait à son bureau, le visage fermé par la solitude et le sommeil, sur un secret indéchiffrable. Quelle menace apporte un appel, qui vient de la nuit du dehors, lorsque deux courriers sont en vol. Rivière pensait aux télégrammes qui touchent les familles sous les lampes du soir, puis au malheur qui, pendant des secondes presque éternelles, reste un secret dans le visage du père. Onde d'abord
20 sans force, si loin du cri jeté, si calme. Et, chaque fois, il entendait son faible écho dans cette sonnerie discrète. Et, chaque fois, les mouvements de l'homme, que la solitude faisait lent comme un nageur entre deux eaux, revenant de l'ombre vers sa lampe, comme un plongeur remonte, lui paraissaient lourds de secrets.

— Restez. J'y vais.[3]

Rivière décrocha l'écouteur, reçut le bourdonnement du monde.

— Ici, Rivière.
30 Un faible tumulte, puis une voix:
— Je vous passe le poste radio.

[3] **J'y vais:** Translate *I'll go* or *I'll take it*. With verbs of motion in French, the point of departure or point of arrival is frequently expressed, the former by **en,** the latter by **y.** Do not translate these adverbs in this construction.

Un nouveau tumulte, celui des fiches dans le standard, puis une autre voix:

— Ici, le poste radio. Nous vous communiquons les télégrammes.

Rivière les notait et hochait la tête:

— Bien... Bien...

Rien d'important. Des messages réguliers de service. Rio-de-Janeiro demandait un renseignement, Montevideo parlait du temps, et Mendoza de matériel. C'étaient les bruits familiers de la maison.   10

— Et les courriers?

— Le temps est orageux. Nous n'entendons pas les avions.

— Bien.

Rivière songea que la nuit ici était pure, les étoiles luisantes, mais les radiotélégraphistes découvraient en elle le souffle de lointains orages.

— A tout à l'heure.

Rivière se levait, le secrétaire l'aborda:

— Les notes de service, pour la signature, Monsieur...

— Bien.   20

Rivière se découvrait une grande amitié pour cet homme, que chargeait aussi le poids de la nuit. « Un camarade de combat, pensait Rivière. Il ne saura sans doute jamais combien cette veille nous unit. »

9

Comme, une liasse de papiers dans les mains, il rejoignait son bureau personnel, Rivière ressentit cette vive douleur au côté droit, qui, depuis quelques semaines, le tourmentait.

« Ça ne va pas... »

Il s'appuya une seconde contre le mur:

« C'est ridicule. »

Puis il atteignit son fauteuil.

Il se sentait, une fois de plus, ligotté comme un vieux lion, et une grande tristesse l'envahit.

10 « Tant de travail pour aboutir à ça! J'ai cinquante ans; cinquante [1] j'ai rempli ma vie, je me suis formé, j'ai lutté, j'ai changé le cours des événements, et voilà maintenant ce qui m'occupe et me remplit, et passe le monde en importance... C'est ridicule. »

Il attendit, essuya un peu de sueur, et, quand il fut délivré, travailla.

Il compulsait lentement les notes.

« Nous avons constaté à Buenos-Ayres, au cours du démontage du moteur 301... nous infligerons une sanction grave 20 au responsable. »

Il signa.

« L'escale de Florianopolis n'ayant pas observé les instructions... »

Il signa.

« Nous déplacerons par mesure disciplinaire le chef d'aéroplace Richard qui... »

[1] cinquante: Either (à) cinquante (ans) or cinquante (ans et).

Il signa.

Puis comme cette douleur au côté, engourdie, mais présente en lui et nouvelle comme un sens nouveau de la vie, l'obligeait à penser à soi,[2] il fut presque amer.

« Suis-je juste ou injuste? Je l'ignore. Si je frappe, les pannes diminuent. Le responsable, ce n'est pas l'homme, c'est comme une puissance obscure que l'on ne touche jamais, si l'on ne touche pas tout le monde. Si j'étais très juste, un vol de nuit serait chaque fois une chance de mort. »

Il lui vint une certaine lassitude d'avoir tracé si durement 10 cette route. Il pensa que la pitié est bonne. Il feuilletait toujours les notes, absorbé dans son rêve.

« ... quant à Roblet, à partir d'aujourd'hui, il ne fait plus partie de notre personnel. »

Il revit ce vieux bonhomme et la conversation du soir:

— Un exemple, que voulez-vous, c'est un exemple.

— Mais Monsieur... mais Monsieur... Une fois, une seule, pensez donc! et j'ai travaillé toute ma vie!

— Il faut un exemple.

— Mais, Monsieur!... Regardez, Monsieur!   20

Alors ce portefeuille usé et cette vieille feuille de journal où Roblet jeune pose debout près d'un avion.

Rivière voyait les vieilles mains trembler sur cette gloire naïve.

— Ça date de 1910, Monsieur... C'est moi qui ai fait le montage, ici, du premier avion d'Argentine! L'aviation depuis 1910... Monsieur, ça fait vingt ans! Alors, comment pouvez-vous dire... Et les jeunes, Monsieur, comme ils vont rire à l'atelier!... Ah! Ils vont bien rire!

— Ça, ça m'est égal.   30

— Et mes enfants, Monsieur, j'ai des enfants!

— Je vous ai dit: je vous offre une place de manœuvre.

— Ma dignité, Monsieur, ma dignité! Voyons, Monsieur, vingt ans d'aviation, un vieil ouvrier comme moi...

[2] **penser à soi: lui** would be more usual than **soi**. See note 1, p. 13.

— De manœuvre.

— Je refuse, Monsieur, je refuse!

Et les vieilles mains tremblaient, et Rivière détournait les yeux de cette peau fripée, épaisse et belle.

— De manœuvre.

— Non, Monsieur, non... je veux vous dire encore...

— Vous pouvez vous retirer.

Rivière pensa: « Ce n'est pas lui que j'ai congédié ainsi, brutalement, c'est le mal dont il n'était pas responsable, peut-être, mais qui passait par lui. »

« Parce que les événements, on les commande, pensait Rivière, et ils obéissent, et on crée. Et les hommes sont de pauvres choses, et on les crée aussi. Ou bien on les écarte lorsque le mal passe par eux. »

« Je vais vous dire encore... » Que voulait-il dire ce pauvre vieux? Qu'on lui arrachait ses vieilles joies? Qu'il aimait le son des outils sur l'acier des avions, qu'on privait sa vie d'une grande poésie, et puis... qu'il faut vivre?

« Je suis très las », pensait Rivière. La fièvre montait en lui, caressante. Il tapotait la feuille et pensait: « J'aimais bien le visage de ce vieux compagnon... » Et Rivière revoyait ces mains. Il pensait à ce faible mouvement qu'elles ébaucheraient pour se joindre. Il suffirait de dire: « Ça va. Ça va. Restez. » Rivière rêvait au ruissellement de joie qui descendrait dans ces vieilles mains. Et cette joie que diraient, qu'allaient dire, non ce visage, mais ces vieilles mains d'ouvrier, lui parut la chose la plus belle du monde. « Je vais déchirer cette note? » Et la famille du vieux, et cette rentrée le soir, et ce modeste orgueil:

« — Alors, on te garde? »

« — Voyons! Voyons! C'est moi qui ai fait le montage du premier avion d'Argentine! »

Et les jeunes qui ne riraient plus, ce prestige reconquis par l'ancien...

« Je déchire? »

Le téléphone sonnait, Rivière le décrocha.

Un temps long, puis cette résonance, cette profondeur qu'apportaient le vent, l'espace aux voix humaines. Enfin on parla:

— Ici, le terrain. Qui est là ?

— Rivière.

— Monsieur le Directeur, le 650 est en piste.

— Bien.

— Enfin, tout est prêt, mais nous avons dû, en dernière heure, refaire le circuit électrique, les connexions étaient défectueuses.

— Bien. Qui a monté le circuit ?

— Nous vérifierons. Si vous le permettez, nous prendrons des sanctions: une panne de lumière de bord, ça peut être grave !

— Bien sûr.

Rivière pensait: « Si l'on n'arrache pas le mal, quand on le rencontre, où qu'il soit,[3] il y a des pannes de lumière: c'est un crime de le manquer quand par hasard il découvre ses instruments: Roblet partira. »

Le secrétaire, qui n'a rien vu, tape toujours.

— C'est ?

— La comptabilité de quinzaine.

— Pourquoi pas prête?

— Je...

— On verra ça.

« C'est curieux comme les événements prennent le dessus, comme se révèle une grande force obscure, la même qui soulève les forêts vierges, qui croît, qui force, qui sourd de partout autour des grandes œuvres. » Rivière pensait à ces temples que de petites lianes font crouler.

« Une grande œuvre... »

Il pensa encore pour se rassurer: « Tous ces hommes, je

[3] **où qu'il soit:** Translate *wherever he may be*. Note this use of the subjunctive.

les aime, mais ce n'est pas eux que je combats. C'est ce qui
passe par eux... »

Son cœur battait des coups rapides, qui le faisaient souffrir.

« Je ne sais pas si ce que j'ai fait est bon. Je ne sais pas
l'exacte valeur de la vie humaine, ni de la justice, ni du
chagrin. Je ne sais pas exactement ce que vaut la joie d'un
homme. Ni une main qui tremble. Ni la pitié, ni la
douceur... »

Il rêva:

10　« La vie se contredit tant, on se débrouille comme on peut
avec la vie... Mais durer, mais créer, échanger son corps
périssable... »

Rivière réfléchit, puis sonna.

— Téléphonez au pilote du courrier d'Europe. Qu'il
vienne me voir avant de partir.

Il pensait:

« Il ne faut pas que ce courrier fasse [4] inutilement demi-tour.
Si je ne secoue pas mes hommes, la nuit toujours les inquié-
tera. »

---

[4] **Il ne faut pas que ce courrier fasse...:** Translate *this pilot must be
sure not to turn. . . .* See note 12, p. xvii.

10

La femme du pilote, réveillée par le téléphone, regarda son mari et pensa:

— Je le laisse dormir encore un peu.

Elle admirait cette poitrine nue, bien carénée, elle pensait à un beau navire.

Il reposait dans ce lit calme, comme dans un port, et, pour que rien n'agitât son sommeil, elle effaçait du doigt ce pli, cette ombre, cette houle, elle apaisait ce lit, comme, d'un doigt divin, la mer.

Elle se leva, ouvrit la fenêtre, et reçut le vent dans le visage. 10 Cette chambre dominait Buenos-Ayres. Une maison voisine, où l'on dansait, répandait quelques mélodies, qu'apportait le vent, car c'était l'heure des plaisirs et du repos. Cette ville serrait les hommes dans ses cent mille forteresses; tout était calme et sûr; mais il semblait à cette femme que l'on allait crier « Aux armes! » et qu'un seul homme, le sien, se dresserait. Il reposait encore, mais son repos était le repos redoutable des réserves qui vont donner. Cette ville endormie ne le protégeait pas: ses lumières lui sembleraient vaines, lorsqu'il se lèverait, jeune dieu, de leur poussière. Elle regardait ces bras 20 solides qui, dans une heure, porteraient le sort du courrier d'Europe, responsables de quelque chose de grand, comme du sort d'une ville. Et elle fut troublée. Cet homme, au milieu de ces millions d'hommes, était préparé seul pour cet étrange sacrifice. Elle en eut du chagrin. Il échappait aussi à sa douceur. Elle l'avait nourri, veillé et caressé, non pour elle-

même, mais pour cette nuit qui allait le prendre. Pour des
luttes, pour des angoisses, pour des victoires, dont elle ne con-
naîtrait rien. Ces mains tendres n'étaient qu'apprivoisées, et
leurs vrais travaux étaient obscurs. Elle connaissait les
sourires de cet homme, ses précautions d'amant, mais non,
dans l'orage, ses divines colères. Elle le chargeait de tendres
liens: de musique, d'amour, de fleurs; mais, à l'heure de
chaque départ, ces liens, sans qu'il en parût souffrir, tombaient.

Il ouvrit les yeux.

— Quelle heure est-il?

— Minuit.

— Quel temps fait-il?

— Je ne sais pas...

Il se leva. Il marchait lentement vers la fenêtre en s'étirant.

— Je n'aurai pas très froid. Quelle est la direction du vent?

— Comment veux-tu que je sache...

Il se pencha:

— Sud. C'est très bien. Ça tient au moins jusqu'au Brésil.

Il remarqua la lune et se connut riche. Puis ses yeux
descendirent sur la ville.

Il ne la jugea ni douce, ni lumineuse, ni chaude. Il voyait
déjà s'écouler le sable vain de ses lumières.

— A quoi penses-tu?

Il pensait à la brume possible du côté de Porto Allegre.

— J'ai ma tactique. Je sais par où faire le tour.

Il s'inclinait toujours. Il respirait profondément, comme
avant de se jeter, nu, dans la mer.

— Tu n'es même pas triste... Pour combien de jours t'en
vas-tu?

Huit, dix jours. Il ne savait pas. Triste, non; pourquoi?
Ces plaines, ces villes, ces montagnes... Il partait libre, lui
semblait-il, à leur conquête. Il pensait aussi qu'avant une
heure il posséderait et rejetterait Buenos-Ayres.

Il sourit:

— Cette ville... j'en serai si vite loin. C'est beau de partir

la nuit. On tire sur la manette des gaz, face au Sud, et dix
secondes plus tard on renverse le paysage, face au Nord. La
ville n'est plus qu'un fond de mer.

Elle pensait à tout ce qu'il faut rejeter pour conquérir.

— Tu n'aimes pas ta maison?

— J'aime ma maison...

Mais déjà sa femme le savait en marche. Ces larges épaules
pesaient déjà contre le ciel.

Elle le lui montra.

— Tu as beau temps, ta route est pavée d'étoiles.   10

Il rit:

— Oui.

Elle posa la main sur cette épaule et s'émut de la sentir tiède:
cette chair était donc menacée?...

— Tu es très fort, mais sois prudent!

— Prudent, bien sûr...

Il rit encore.

Il s'habillait. Pour cette fête, il choisissait les étoffes les
plus rudes, les cuirs les plus lourds, il s'habillait comme un
paysan. Plus il devenait lourd, plus elle l'admirait. Elle- 20
même bouclait cette ceinture, tirait ces bottes.

— Ces bottes me gênent.

— Voilà les autres.

— Cherche-moi un cordon pour ma lampe de secours.

Elle le regardait. Elle réparait elle-même le dernier défaut
dans l'armure: tout s'ajustait bien.

— Tu es très beau.

Elle l'aperçut qui se peignait soigneusement.

— C'est pour les étoiles?

— C'est pour ne pas me sentir vieux.   30

— Je suis jalouse...

Il rit encore, et l'embrassa, et la serra contre ses pesants
vêtements. Puis il la souleva à bras tendus, comme on soulève
une petite fille, et, riant toujours, la coucha:

— Dors!

Et fermant la porte derrière lui, il fit dans la rue, au milieu de l'inconnaissable peuple nocturne, le premier pas de sa conquête.

Elle restait là. Elle regardait, triste, ces fleurs, ces livres, cette douceur, qui n'étaient pour lui qu'un fond de mer.

11

Rivière le reçoit:

— Vous m'avez fait une blague, à votre dernier courrier. Vous m'avez fait demi-tour quand les météos étaient bonnes: vous pouviez passer.[1] Vous avez eu peur?

Le pilote surpris se tait. Il frotte l'une contre l'autre, lentement, ses mains. Puis il redresse la tête, et regarde Rivière bien en face:

— Oui.

Rivière a pitié, au fond de lui-même, de ce garçon si courageux qui a eu peur. Le pilote tente de s'excuser.

— Je ne voyais plus rien. Bien sûr, plus loin... peut-être... la T. S. F. disait... Mais ma lampe de bord a faibli, et je ne voyais plus mes mains. J'ai voulu allumer ma lampe de position pour au moins voir l'aile: je n'ai rien vu. Je me sentais au fond d'un grand trou dont il était difficile de remonter. Alors mon moteur s'est mis à vibrer...

— Non.

— Non?

— Non. Nous l'avons examiné depuis. Il est parfait. Mais on croit toujours qu'un moteur vibre quand on a peur.

— Qui n'aurait pas eu peur! Les montagnes me dominaient. Quand j'ai voulu prendre de l'altitude, j'ai rencontré de forts remous. Vous savez quand on ne voit rien... les remous... Au lieu de monter j'ai perdu cent mètres.[2] Je ne

---

[1] **pouviez passer:** Translate *could have gotten through.* The imperfect indicative of **pouvoir** is frequently used with the force of the conditional perfect; **pouviez** is equivalent to **auriez pu.** See note 1, p. 1.

[2] **cent mètres (d'altitude au-dessus du niveau de la mer):** Understand the words in parentheses.

voyais même plus le gyroscope, même plus les manomètres. Il me semblait que mon moteur baissait de régime, qu'il chauffait, que la pression d'huile tombait... Tout ça dans l'ombre, comme une maladie. J'ai été bien content de revoir une ville éclairée.

— Vous avez trop d'imagination. Allez.

Et le pilote sort.

Rivière s'enfonce dans son fauteuil et passe la main dans ses cheveux gris.

10 « C'est le plus courageux de mes hommes. Ce qu'il a réussi ce soir-là est très beau, mais je le sauve de la peur... »

Puis, comme une tentation de faiblesse lui revenait:

« Pour se faire aimer, il suffit de plaindre. Je ne plains guère ou je le cache. J'aimerais bien pourtant m'entourer de l'amitié et de la douceur humaines. Un médecin, dans son métier, les rencontre. Mais ce sont les événements que je sers. Il faut que je forge les hommes pour qu'ils les servent. Comme je la sens bien cette loi [3] obscure, le soir, dans mon bureau, devant les feuilles de route. Si je me laisse aller, si 20 je laisse les événements bien réglés suivre leur cours, alors, mystérieux, naissent les incidents. Comme si ma volonté seule empêchait l'avion de se rompre en vol, ou la tempête de retarder le courrier en marche. Je suis surpris, parfois, de mon pouvoir. »

Il réfléchit encore:

« C'est peut-être clair. Ainsi [4] la lutte perpétuelle du jardinier sur sa pelouse. Le poids de sa simple main repousse dans la terre, qui la prépare éternellement, la forêt primitive. »

Il pense au pilote:

30 « Je le sauve de la peur. Ce n'est pas lui que j'attaquais, c'est, à travers lui, cette résistance qui paralyse les hommes

[3] **Comme je la sens bien cette loi...**: Note the position of **comme** and **bien.** See note 1, p. 20. Note also that the direct object is expressed twice (**la** and **cette loi**) for emphasis. Do not translate **la.**
[4] **Ainsi (que)**: **Que** understood.

devant l'inconnu. Si je l'écoute, si je le plains, si je prends au
sérieux son aventure, il croira revenir d'un pays de mystère,
et c'est du mystère seul que l'on a peur. Il faut qu'il n'y ait
plus de mystère. Il faut que des hommes soient descendus
dans ce puits sombre, et en remontent, et disent qu'ils n'ont
rien rencontré. Il faut que cet homme descende au cœur le
plus intime de la nuit, dans son épaisseur, et sans même cette
petite lampe de mineur, qui n'éclaire que les mains ou l'aile,
mais écarte d'une largeur d'épaules l'inconnu. »

Pourtant, dans cette lutte, une silencieuse fraternité liait, [10]
au fond d'eux-mêmes, Rivière et ses pilotes. C'étaient des
hommes du même bord, qui éprouvaient le même désir de
vaincre. Mais Rivière se souvient des autres batailles qu'il a
livrées pour la conquête de la nuit.

On redoutait, dans les cercles officiels, comme une brousse
inexplorée, ce territoire sombre. Lancer un équipage, à deux
cents kilomètres à l'heure, vers les orages et les brumes et les
obstacles matériels que la nuit contient sans les montrer, leur
paraissait une aventure tolérable pour l'aviation militaire:
on quitte un terrain par nuit claire, on bombarde, on revient [20]
au même terrain. Mais les services réguliers échoueraient la
nuit. « C'est pour nous,[5] avait répliqué Rivière, une question
de vie ou de mort, puisque nous perdons, chaque nuit, l'avance
gagnée, pendant le jour, sur les chemins de fer et les navires. »

Rivière avait écouté, avec ennui, parler de bilans, d'assu-
rances, et surtout d'opinion publique: « L'opinion publique,
ripostait-il... on la gouverne! » Il pensait: « Que de temps
perdu! Il y a quelque chose... quelque chose qui prime tout
cela. Ce qui est vivant bouscule tout pour vivre et crée, pour
vivre, ses propres lois. C'est irrésistible. » Rivière ne savait [30]
pas quand ni comment l'aviation commerciale aborderait
les vols de nuit, mais il fallait préparer cette solution inévitable.

Il se souvient des tapis verts, devant lesquels, le menton au

[5] **C'est pour nous...**: See Préface, p. xv, ll. 3–5.

poing, il avait écouté, avec un étrange sentiment de force, tant d'objections. Elles lui semblaient vaines, condamnées d'avance par la vie. Et il sentait sa propre force ramassée en lui comme un poids: « Mes raisons pèsent, je vaincrai, pensait Rivière. C'est la pente naturelle des événements. » Quand on lui réclamait des solutions parfaites, qui écarteraient tous les risques: « C'est l'expérience qui dégagera les lois, répondait-il, la connaissance des lois ne précède jamais l'expérience. »

10   Après une longue année de lutte, Rivière l'avait emporté. Les uns disaient: « à cause de sa foi », les autres: [6] « à cause de sa ténacité, de sa puissance d'ours en marche », mais, selon lui, plus simplement, parce qu'il pesait dans la bonne direction.

Mais quelles précautions au début! Les avions ne partaient qu'une heure avant le jour, n'atterrissaient qu'une heure après le coucher du soleil. Quand Rivière se jugea plus sûr de son expérience, alors seulement il osa pousser les courriers dans les profondeurs de la nuit. A peine suivi, presque désavoué, il menait maintenant une lutte solitaire.

20   Rivière sonne pour connaître les derniers messages des avions en vol.

[6] **Les uns... les autres:** Equivalent to the English *some . . . others.*

12

Cependant, le courrier de Patagonie abordait l'orage, et Fabien renonçait à le contourner. Il l'estimait trop étendu, car la ligne d'éclairs s'enfonçait vers l'intérieur du pays et révélait des forteresses de nuages. Il tenterait de passer pardessous, et, si l'affaire se présentait mal, se résoudrait au demi-tour.

Il lut son altitude: mille sept cents mètres. Il pesa des paumes sur les commandes pour commencer à la réduire. Le moteur vibra très fort et l'avion trembla. Fabien, corrigea, au jugé, l'angle de descente, puis, sur la carte, vérifia la hau- 10 teur des collines: cinq cents mètres. Pour se conserver une marge,[1] il naviguerait vers sept cents.

Il sacrifiait son altitude comme on joue une fortune.

Un remou fit plonger l'avion, qui trembla plus fort. Fabien se sentit menacé par d'invisibles éboulements. Il rêva qu'il faisait demi-tour et retrouvait cent mille étoiles, mais il ne vira pas d'un degré.

Fabien calculait ses chances: il s'agissait d'un orage local, probablement, puisque Trelew, la prochaine escale, signalait un ciel trois quarts couvert. Il s'agissait de vivre vingt minutes 20 à peine dans ce béton noir. Et pourtant le pilote s'inquiétait. Penché à gauche contre la masse du vent, il essayait d'interpréter les lueurs confuses qui, par les nuits les plus épaisses, circulent encore. Mais ce n'était même plus des lueurs. A peine des changements de densité, dans l'épaisseur des ombres, ou une fatigue des yeux.

[1] **se conserver une marge: Se** is the dative of interest and may be omitted in translation. See note 4, p. 21

Il déplia un papier du radio:

« Où sommes-nous? »

Fabien eût donné cher pour le savoir. Il répondit: « Je ne sais pas. Nous traversons, à la boussole, un orage. »

Il se pencha encore. Il était gêné par la flamme de l'échappement, accrochée au moteur comme un bouquet de feu, si pâle que le clair de lune l'eût éteinte, mais qui, dans ce néant, absorbait le monde visible. Il la regarda. Elle était tressée drue par le vent, comme la flamme d'une torche.

10 Chaque trente secondes, pour vérifier le gyroscope et le compas, Fabien plongeait sa tête dans la carlingue. Il n'osait plus allumer les faibles lampes rouges, qui l'éblouissaient pour longtemps, mais tous les instruments aux chiffres de radium versaient une clarté pâle d'astres. Là, au milieu d'aiguilles et de chiffres, le pilote éprouvait une sécurité trompeuse: celle de la cabine du navire sur laquelle passe le flot. La nuit, et tout ce qu'elle portait de rocs, d'épaves, de collines, coulait aussi contre l'avion avec la même étonnante fatalité.

« Où sommes-nous? » lui répétait l'opérateur.

20 Fabien émergeait de nouveau, et reprenait, appuyé à gauche, sa veille terrible. Il ne savait plus combien de temps, combien d'efforts le délivreraient de ses liens sombres. Il doutait presque d'en être jamais délivré, car il jouait sa vie sur ce petit papier, sale et chiffonné, qu'il avait déplié et lu mille fois, pour bien nourrir son espérance: « Trelew: ciel trois quarts couvert, vent Ouest faible. » Si Trelew était trois quarts couvert, on apercevrait ses lumières dans la déchirure des nuages. A moins que...

La pâle clarté promise plus loin l'engageait à poursuivre; 30 pourtant, comme il doutait, il griffonna pour le radio: « J'ignore si je pourrai passer. Sachez-moi [2] s'il fait toujours beau en arrière. »

La réponse le consterna:

[2] **Sachez-moi:** Translate *find out.* For **moi,** dative of interest, see note 4, p. 21.

« Commodoro signale: Retour ici impossible. Tempête. »
Il commençait à deviner l'offensive insolite qui, de la Cordillère des Andes, se rabattait vers la mer. Avant qu'il eût pu les atteindre, le cyclone râflerait les villes.

« — Demandez le temps de San Antonio. » [3]
« — San Antonio a répondu: vent Ouest se lève et tempête à l'Ouest. Ciel quatre quarts couvert.[4] San Antonio entend très mal à cause des parasites. J'entends mal aussi. Je crois être obligé de remonter bientôt l'antenne [5] à cause des décharges. Ferez-vous demi-tour? Quels sont vos projets? »   10
« — Foutez-moi la paix.[6] Demandez le temps de Bahia Blanca. »

« — Bahia Blanca a répondu: prevoyons [7] avant vingt minutes violent orage Ouest sur Bahia Blanca. »
« — Demandez le temps de Trelew. »

« — Trelew a répondu: ouragan trente mètres seconde [8] Ouest et rafales de pluie. »
« — Communiquez à Buenos-Ayres: Sommes bouchés de tous les côtés, tempête se développe sur mille kilomètres, ne voyons [9] plus rien. Que devons-nous faire? »   20

---

[3] **Demandez le temps de San Antonio:** Translate *ask how the weather is at San Antonio.* Note that **temps** means *weather* and that **de San Antonio** modifies **temps.** If San Antonio were the object of **demandez,** it would be preceded by **à,** not by **de.**

[4] **quatre quarts couvert:** Translate *four quarters* or *completely covered* (*with clouds*).

[5] **remonter... l'antenne:** The wireless aerial is suspended from the bottom of the plane in flight.

[6] **Foutez-moi la paix:** A very vulgar form of expressing *give me peace* or *let me alone.* Translate *keep your trap shut.*

[7] **(nous) prévoyons:** Understand the word in parentheses.

[8] **ouragan (; vitesse du vent,) trente mètres (la) seconde:** Understand the words and punctuation in parentheses.

[9] **(Nous) sommes... (une) tempête... (nous) ne voyons...:** Understand the words in parentheses.

Pour le pilote, cette nuit était sans rivage puisqu'elle ne conduisait ni vers un port, (ils semblaient tous inaccessibles), ni vers l'aube: l'essence manquerait dans une heure quarante.[10]   Puisque l'on serait [11] obligé, tôt ou tard, de couler en aveugle, dans cette épaisseur.

S'il avait pu gagner le jour...[12]

Fabien pensait à l'aube comme à une plage de sable doré où l'on se serait échoué après cette nuit dure.   Sous l'avion menacé serait né le rivage des plaines.   La terre tranquille aurait porté ses fermes endormies et ses troupeaux et ses collines.   Toutes les épaves qui roulaient dans l'ombre seraient devenues inoffensives.   S'il pouvait, comme il nagerait vers le jour!

Il pensa qu'il était cerné.   Tout se résoudrait,[13] bien ou mal, dans cette épaisseur.

C'est vrai.   Il a cru quelquefois, quand montait le jour, entrer en convalescence.

Mais à quoi bon fixer les yeux sur l'Est, où vivait le soleil: il y avait entre eux une telle profondeur de nuit qu'on ne la remonterait pas.

[10] **une heure quarante (minutes)**: Understand the word in parentheses.

[11] **Puisque l'on serait...**: Understand before **puisque** the main clause of the preceding sentence (**pour le pilote, cette nuit était sans rivage**).

[12] **S'il avait pu gagner le jour**: Translate *if he could have reached* or *gotten through to daylight*.   See note 1, p. 1.

[13] **se résoudrait**: Reflexive in French equivalent to the passive in English.

13

— Le courrier d'Asuncion marche bien.   Nous l'aurons vers
deux heures.   Nous prévoyons par contre un retard important
du courrier de Patagonie qui paraît en difficulté.

— Bien, Monsieur Rivière.

— Il est possible que nous ne l'attendions pas pour faire
décoller l'avion d'Europe: dès l'arrivée d'Asuncion, vous nous
demanderez des instructions.   Tenez-vous prêt.

Rivière relisait maintenant les télégrammes de protection
des escales Nord.   Ils ouvraient au courrier d'Europe une
route de lune: « Ciel pur, pleine lune, vent nul. »   Les 10
montagnes du Brésil, bien découpées sur le rayonnement du
ciel, plongeaient droit, dans les remous d'argent de la mer,
leur chevelure serrée de forêts noires.   Ces forêts sur les-
quelles pleuvent, inlassablement, sans les colorer, les rayons de
lune.   Et noires aussi comme des épaves, en mer, les îles.
Et cette lune, sur toute la route, inépuisable: une fontaine de
lumière.

Si Rivière ordonnait le départ, l'équipage du courrier
d'Europe entrerait dans un monde stable qui, pour toute la
nuit, luisait doucement.   Un monde où rien ne menaçait 20
l'équilibre des masses d'ombres et de lumière.   Où ne s'in-
filtrait même pas la caresse de ces vents purs, qui, s'ils fraî-
chissent, peuvent gâter en quelques heures un ciel entier.

Mais Rivière hésitait, en face de ce rayonnement, comme un
prospecteur en face de champs d'or interdits.   Les événements,
dans le Sud, donnaient tort à Rivière, seul défenseur des vols
de nuit.   Ses adversaires tireraient d'un désastre en Patagonie
une position morale si forte, que peut-être la foi de Rivière

resterait désormais impuissante; car la foi de Rivière n'était
pas ébranlée: une fissure dans son œuvre avait permis le drame,
mais le drame montrait la fissure, il ne prouvait rien d'autre.
« Peut-être des postes d'observation sont-ils nécessaires à
l'Ouest... On verra ça. » Il pensait encore: « J'ai les
mêmes raisons solides d'insister, et une cause de moins d'accident possible: celle qui s'est montrée. »   Les échecs fortifient
les forts.   Malheureusement, contre les hommes on joue un
jeu, où compte si peu le vrai sens des choses.   L'on gagne ou
l'on perd sur des apparences, on marque des points misérables.
Et l'on se trouve ligotté par une apparence de défaite.

Rivière sonna.

—Bahia Blanca ne nous communique toujours rien par
T. S. F.?

—Non.

—Appelez-moi l'escale au téléphone.

Cinq minutes plus tard, il s'informait:

—Pourquoi ne nous passez-vous rien?

—Nous n'entendons pas le courrier.

—Il se tait?

—Nous ne savons pas.   Trop d'orages.   Même s'il manipulait nous n'entendrions pas.

—Trelew entend-il?

—Nous n'entendons pas Trelew.

—Téléphonez.

—Nous avons essayé: la ligne est coupée.

—Quel temps chez vous?

—Menaçant.   Des éclairs à l'Ouest et au Sud.   Très lourd.

—Du vent?

—Faible encore, mais pour dix minutes.   Les éclairs se
rapprochent vite.

Un silence.

—Bahia Blanca?   Vous écoutez?   Bon.   Rappelez-nous
dans dix minutes.

Et Rivière feuilleta les télégrammes des escales Sud.   Toutes

signalaient le même silence de l'avion. Quelques-unes ne
répondaient plus à Buenos-Ayres, et, sur la carte, s'agrandissait
la tache des provinces muettes, où les petites villes subissaient
déjà le cyclone, toutes portes closes, et chaque maison de leurs
rues sans lumière aussi retranchée du monde et perdue dans
la nuit qu'un navire. L'aube seule les délivrerait.

Pourtant Rivière, incliné sur la carte, conservait encore
l'espoir de découvrir un refuge de ciel pur, car il avait demandé, par télégrammes, l'état du ciel à la police de plus de
trente villes de province, et les réponses commençaient à lui 10
parvenir. Sur deux mille kilomètres, les postes radio avaient
ordre, si l'un d'eux accrochait un appel de l'avion, d'avertir
dans les trente secondes Buenos-Ayres, qui lui communique-
rait, pour la faire transmettre à Fabien, la position du refuge.
Les secrétaires, convoqués pour une heure du matin, avaient
regagné leurs bureaux. Ils apprenaient là, mystérieusement,
que, peut-être, on suspendrait les vols de nuit, et que le courrier
d'Europe lui-même ne décollerait plus qu'au jour. Ils par-
laient à voix basse de Fabien, du cyclone, de Rivière surtout.
Il le devinaient là, tout proche, écrasé peu à peu par ce démenti 20
naturel.

Mais toutes les voix s'éteignirent: Rivière, à sa porte, venait
d'apparaître, serré dans son manteau, le chapeau toujours sur
les yeux, éternel voyageur. Il fit un pas tranquille vers le
chef de bureau:

— Il est une heure dix, les papiers du courrier d'Europe
sont-ils en règle?

— Je... j'ai cru...

— Vous n'avez pas à croire, mais à exécuter.

Il fit demi-tour, lentement, vers une fenêtre ouverte, les 30
mains croisées derrière le dos.

Un secrétaire le rejoignit:

— Monsieur le Directeur, nous obtiendrons peu de réponses.
On nous signale que, dans l'intérieur, beaucoup de lignes
télégraphiques sont déjà détruites...

— Bien.

Rivière, immobile, regardait la nuit.

Ainsi, chaque message menaçait le courrier.   Chaque ville, quand elle pouvait répondre, avant la destruction des lignes, signalait la marche du cyclone, comme celle d'une invasion. « Ça vient de l'intérieur, de la Cordillère.   Ça balaie toute la route, vers la mer... »

Rivière jugeait les étoiles trop luisantes, l'air trop humide. Quelle nuit étrange !   Elle se gâtait brusquement par plaques, comme la chair d'un fruit lumineux.   Les étoiles au grand complet dominaient encore Buenos-Ayres, mais ce n'était là qu'une oasis, et d'un instant.   Un port, d'ailleurs, hors du rayon d'action de l'équipage.   Nuit menaçante qu'un vent mauvais touchait et pourrissait.   Nuit difficile à vaincre.

Un avion, quelque part, était en péril dans ses profondeurs: on s'agitait, impuissant, sur le bord.

14

La femme de Fabien téléphona.

La nuit de chaque retour elle calculait la marche du courrier de Patagonie: « Il décolle de Trelew... » Puis se rendormait. Un peu plus tard: « Il doit approcher de San Antonio, il doit voir ses lumières... » Alors elle se levait, écartait les rideaux, et jugeait le ciel: « Tous ces nuages le gênent... » Parfois la lune se promenait comme un berger. Alors la jeune femme se recouchait, rassurée par cette lune et ces étoiles, ces milliers de présences autour de son mari. Vers une heure, elle le sentait proche: « Il ne doit plus être bien loin, il doit voir Buenos-Ayres... » Alors elle se levait encore, et lui préparait un repas, un café bien chaud: « Il fait si froid, là-haut... » Elle le recevait toujours, comme s'il descendait d'un sommet de neige: « Tu n'as pas froid? — Mais non! — Réchauffe-toi quand même... » Vers une heure et quart tout était prêt. Alors elle téléphonait.

Cette nuit, comme les autres, elle s'informa:

— Fabien a-t-il atterri?

Le secrétaire qui l'écoutait se troubla un peu:

— Qui parle?

— Simone Fabien.

— Ah! une minute...

Le secrétaire, n'osant rien dire, passa l'écouteur au chef de bureau.

— Qui est là?

— Simone Fabien.

— Ah!... que désirez-vous, Madame?

— Mon mari a-t-il atterri?

53

Il y eut un silence qui dut paraître inexplicable, puis on répondit simplement:

— Non.

— Il a du retard?

— Oui...

Il y eut un nouveau silence.

— Oui... du retard.

— Ah!...

C'était un « Ah! » de chair blessée. Un retard ce n'est rien... ce n'est rien... mais quand il se prolonge...

— Ah!... Et à quelle heure sera-t-il ici?

— A quelle heure il sera ici? Nous... Nous ne savons pas.

Elle se heurtait maintenant à un mur. Elle n'obtenait que l'écho même de ses questions.

— Je vous en prie, répondez-moi! Où se trouve-t-il?...

— Où il se trouve? Attendez...

Cette inertie lui faisait mal. Il se passait quelque chose,[1] là, derrière ce mur.

On se décida:

— Il a décollé de Commodoro à dix-neuf heures trente.[2]

— Et depuis?

— Depuis?... Très retardé... Très retardé par le mauvais temps...

— Ah! Le mauvais temps...

Quelle injustice, quelle fourberie dans cette lune étalée là, oisive, sur Buenos-Ayres! La jeune femme se rappela soudain qu'il fallait deux heures à peine pour se rendre de Commodoro à Trelew.

— Et il vole depuis six heures vers Trelew! Mais il vous envoie des messages! Mais que dit-il?...

---

[1] **Il se passait quelque chose:** Translate *something was happening.* **For** construction with **il**, see note 17, p. xvii.

[2] **dix-neuf heures trente (minutes):** In the administration of railroads, etc., time is reckoned from midnight to midnight. Translate *seven-thirty in the evening.* In French, as in English, the word in parentheses may be understood and not expressed.

— Ce qu'il nous dit?   Naturellement par un temps pareil...
vous comprenez bien... ses messages ne s'entendent pas.

— Un temps pareil!

— Alors, c'est convenu, Madame, nous vous téléphonons
dès que nous savons quelque chose.

— Ah! vous ne savez rien...

— Au revoir, Madame...

— Non! non! Je veux parler au Directeur!

— M. le Directeur est très occupé, Madame, il est en conférence...   10

— Ah! ça m'est égal.   Ça m'est bien égal! Je veux lui
parler!

Le chef de bureau s'épongea:

— Une minute...

Il poussa la porte de Rivière:

— C'est Mme Fabien qui veut vous parler.

« Voilà, pensa Rivière, voilà ce que je craignais. »   Les
éléments affectifs du drame commençaient à se montrer.   Il
pensa d'abord les récuser: [3] les mères et les femmes n'entrent
pas dans les salles d'opération.   On fait taire [4] l'émotion aussi 20
sur les navires en danger.   Elle n'aide pas à sauver les hommes.
Il accepta pourtant:

— Branchez sur mon bureau.

Il écouta cette petite voix lointaine, tremblante, et tout de
suite il sut qu'il ne pourrait pas lui répondre.   Ce serait stérile,
infiniment, pour tous les deux, de s'affronter.

— Madame, je vous en prie, calmez-vous!   Il est si fréquent,
dans notre métier, d'attendre longtemps des nouvelles.

Il était parvenu à cette frontière où se pose, non le problème d'une petite détresse particulière, mais celui-là même de 30

---

[3] **Il pensa... récuser:** Translate *he almost rejected* or *he came near rejecting*.
Consult the vocabulary for the difference between **penser** and **penser à**
when followed by an infinitive.

[4] **On fait taire:** Equivalent to **on fait (se) taire.**   Translate *one im-
poses silence.*   When in French the infinitive of a reflexive verb depends
on **faire,** the reflexive pronoun is usually omitted.

l'action.[5] En face de Rivière se dressait, non la femme de Fabien, mais un autre sens de la vie. Rivière ne pouvait qu'écouter, que plaindre cette petite voix, ce chant tellement triste, mais ennemi. Car ni l'action, ni le bonheur individuel n'admettent le partage: ils sont en conflit. Cette femme parlait elle aussi au nom d'un monde absolu et de ses devoirs et de ses droits. Celui d'une clarté de lampe sur la table du soir, d'une patrie d'espoirs, de tendresses, de souvenirs. Elle exigeait son bien et elle avait raison. Et lui aussi,
10 Rivière, avait raison, mais il ne pouvait rien opposer à la vérité de cette femme. Il découvrait sa propre vérité, à la lumière d'une humble lampe domestique, inexprimable et inhumaine.

— Madame...

Elle n'écoutait plus. Elle était retombée, presque à ses pieds, lui semblait-il, ayant usé ses faibles poings contre le mur.

Un ingénieur avait dit un jour à Rivière, comme ils se penchaient sur un blessé, auprès d'un pont en construction: « Ce pont vaut-il le prix d'un visage écrasé? » Pas un des paysans, à qui cette route était ouverte, n'eût accepté, pour
20 s'épargner un détour par le pont suivant, de mutiler ce visage effroyable.[6] Et pourtant l'on bâtit des ponts. L'ingénieur avait ajouté: « L'intérêt général est formé des intérêts particuliers: il ne justifie rien de plus. » — « Et pourtant, lui avait répondu plus tard Rivière, si la vie humaine n'a pas de prix, nous agissons toujours comme si quelque chose dépassait, en valeur, la vie humaine... Mais quoi? »

Et Rivière, songeant à l'équipage, eut le cœur serré. L'action, même celle de construire un pont, brise des bonheurs; Rivière ne pouvait plus ne pas se demander « au nom
30 de quoi? »

« Ces hommes, pensait-il, qui vont peut-être disparaître,

[5] **celui-là même de l'action:** Translate *that fundamental question of action (in general).*

[6] **de mutiler ce visage effroyable:** Translate *to inflict so horrifying a mutilation on that face.*

auraient pu vivre heureux. » Il voyait des visages penchés
dans le sanctuaire d'or des lampes du soir. « Au nom de
quoi les en ai-je tirés? »   Au nom de quoi les a-t-il arrachés au
bonheur individuel?   La première loi n'est-elle pas de protéger ces bonheurs-là?   Mais lui-même les brise.   Et pourtant
un jour, fatalement, s'évanouissent, comme des mirages, les
sanctuaires d'or.   La vieillesse et la mort les détruisent, plus
impitoyables que lui-même.   Il existe [7] peut-être quelque
chose d'autre à sauver et de plus durable; peut-être est-ce à
sauver cette part-là de l'homme que Rivière travaille?   Sinon
l'action ne se justifie pas.

« Aimer, aimer seulement, quelle impasse! »   Rivière eut
l'obscur sentiment d'un devoir plus grand que celui d'aimer.
Ou bien il s'agissait aussi d'une tendresse, mais si différente
des autres.   Une phrase lui revint: « Il s'agit de les rendre
éternels... » Où avait-il lu cela?   « Ce que vous poursuivez en
vous-même meurt. »   Il revit un temple au dieu du soleil des
anciens Incas du Pérou.   Ces pierres droites sur la montagne.
Que resterait-il, sans elles, d'une civilisation puissante, qui
pesait, du poids de ses pierres, sur l'homme d'aujourd'hui,
comme un remords?   « Au nom de quelle dureté, ou de quel
étrange amour, le conducteur de peuples d'autrefois, con-
traignant ses foules à tirer ce temple sur la montagne, leur
imposa-t-il donc de dresser leur éternité? »   Rivière revit [8]
encore en songe les foules des petites villes, qui tournent le soir
autour de leur kiosque à musique: « Cette sorte de bonheur,
ce harnais... » pensa-t-il.   Le conducteur de peuples d'autrefois, s'il n'eut peut-être pas pitié de la souffrance de l'homme,
eut pitié, immensément, de sa mort.   Non de sa mort indi-
viduelle, mais pitié de l'espèce qu'effacera la mer de sable.
Et il menait son peuple dresser au moins des pierres, que n'en-
sevelirait pas le désert.

[7] **Il existe,** etc.: See note 17, p. xvii.
[8] **Rivière revit,** etc.: See note 6, p. 16, and note 1, p. 28.

15

Ce papier plié en quatre le sauverait peut-être: Fabien le dépliait, les dents serrées.

« Impossible de s'entendre avec Buenos-Ayres. Je ne puis même plus manipuler, je reçois des étincelles dans les doigts. »

Fabien, irrité, voulut répondre, mais quand ses mains lâchèrent les commandes pour écrire, une sorte de houle puissante pénétra son corps: les remous le soulevaient, dans ses cinq tonnes de métal, et le basculaient. Il y renonça.

Ses mains, de nouveau, se fermèrent sur la houle, et la réduisirent.

Fabien respira fortement. Si le radio remontait l'antenne par peur de l'orage, Fabien lui casserait la figure à l'arrivée. Il fallait, à tout prix, entrer en contact avec Buenos-Ayres, comme si, à plus de quinze cents kilomètres,[1] on pouvait leur lancer une corde dans cet abîme. A défaut d'une tremblante lumière, d'une lampe d'auberge presque inutile, mais qui eût prouvé la terre comme un phare, il lui fallait au moins une voix, une seule, venue d'un monde qui déjà n'existait plus. Le pilote éleva et balança le poing dans sa lumière rouge, pour faire comprendre à l'autre, en arrière, cette tragique vérité, mais l'autre, penché sur l'espace dévasté, aux villes ensevelies, aux lumières mortes, ne la connut pas.

Fabien aurait suivi tous les conseils, pourvu qu'ils lui fussent criés. Il pensait: « Et si l'on me dit de tourner en rond, je tourne en rond, et si l'on me dit de marcher plein Sud... »

---

[1] **à plus de quinze cents kilomètres:** Translate *more than fifteen hundred kilometers away*. First note **de** expressing *than* before a numeral. Then compare the whole expression with the following: **Cette ville est à quinze kilomètres d'ici** = *That city is fifteen kilometers away* or *from here*.

Elles existaient quelque part ces terres en paix, douces sous
leurs grandes ombres de lune.   Ces camarades, là-bas, les connaissaient, instruits comme des savants, penchés sur des cartes,
tout puissants, à l'abri de lampes belles comme des fleurs.
Que savait-il, lui, hors des remous et de la nuit qui poussait
contre lui, à la vitesse d'un éboulement, son torrent noir.   On
ne pouvait abandonner deux hommes parmi ces trombes et ces
flammes dans les nuages.   On ne pouvait pas.   On ordon-
nerait à Fabien « Cap au deux cent quarante... » [2]   Il
mettrait le cap au deux cent quarante.   Mais il était seul.   10

Il lui parut que la matière aussi se révoltait.   Le moteur, à
chaque plongée, vibrait si fort, que toute la masse de l'avion
était prise d'un tremblement comme de colère.   Fabien usait
ses forces à dominer l'avion, la tête enfoncée dans la carlingue,
face à l'horizon gyroscopique, car, au dehors, il ne distinguait
plus la masse du ciel de celle de la terre, perdu dans une ombre
où tout se mêlait, une ombre d'origine des mondes.   Mais les
aiguilles des indicateurs de position oscillaient de plus en plus
vite, devenaient difficiles à suivre.   Déjà le pilote, qu'elles
trompaient, se débattait mal, perdait son altitude, s'enlisait   20
peu à peu dans cette ombre.   Il lut sa hauteur [3] « cinq cents
mètres ».   C'était le niveau des collines.   Il les sentit rouler
vers lui leurs vagues vertigineuses.   Il comprenait aussi que
toutes les masses du sol, dont la moindre l'eût écrasé, étaient
comme arrachées de leur support, déboulonnées, et commençaient [4] à tourner, ivres, autour de lui.   Et commençaient, [5]
autour de lui, une sorte de danse profonde et qui le serrait de
plus en plus.

[2] **Cap au deux cent quarante:** Regarding due north as 360° and
making the round of the compass clockwise, we find that 240° would be
30° south of due west, a ridiculous course for Fabien.

[3] **hauteur (au-dessus du niveau de la mer):** Translate *altitude* (*of a
plane*).

[4] **et (que ces masses) commençaient:** Understand the words in
parentheses.

[5] **Et (elles or ces masses) commençaient:** Understand one of two
expressions in parentheses.

Il en prit son parti. Au risque d'emboutir, il atterrirait n'importe où. Et, pour éviter au moins les collines, il lâcha son unique fusée éclairante. La fusée s'en flamma, tournoya, illumina une plaine et s'y éteignit: c'était la mer.

Il pensa très vite: « Perdu. Quarante degrés de correction, j'ai dérivé quand même. C'est un cyclone. Où est la terre? » Il virait plein Ouest. Il pensa: « Sans fusée maintenant, je me tue. » Cela devait arriver un jour. Et son camarade, là, derrière... « Il a remonté l'antenne, sûrement. » Mais 10 le pilote ne lui en voulait plus. Si lui-même ouvrait simplement les mains, leur vie s'en [6] écoulerait aussitôt, comme une poussière vaine. Il tenait dans ses mains le cœur battant de son camarade et le sien. Et soudain ses mains l'effrayèrent.

Dans ces remous en coups de bélier, pour amortir les secousses du volant, sinon elles eussent scié les câbles de commandes, il s'était cramponné à lui, de toutes ses forces. Il s'y cramponnait toujours. Et voici qu'il ne sentait plus ses mains endormies par l'effort. Il voulut remuer les doigts pour en recevoir un message: il ne sut pas s'il était obéi. Quelque 20 chose d'étranger terminait ses bras. Des baudruches insensibles et molles. Il pensa: « Il faut m'imaginer fortement que je serre... » Il ne sut pas si la pensée atteignait ses mains. Et comme il percevait les secousses du volant aux seules douleurs des épaules: « Il m'échappera. Mes mains s'ouvriront... » Mais s'effraya [7] de s'être permis de tels mots, car il crut sentir ses mains, cette fois, obéir à l'obscure puissance de l'image, s'ouvrir lentement, dans l'ombre, pour le livrer.

Il aurait pu lutter encore, tenter sa chance: il n'y a pas de fatalité extérieure. Mais il y a une fatalité intérieure: vient 30 une minute où l'on se découvre vulnérable; alors les fautes vous attirent [8] comme un vertige.

[6] **en:** Literally *on account of it* or *as a result.*   Omit in translation.

[7] **Mais (il) s'effraya:** Understand the word in parentheses.

[8] **où l'on se découvre vulnérable; alors les fautes vous attirent...:** Note that corresponding to the subject pronoun **on** the reflexive pronoun is **se** and the object pronoun is **vous.** For the corresponding disjunctive

Et c'est à cette minute que luirent sur sa tête, dans une déchirure de la tempête, comme un appât mortel au fond d'une nasse, quelques étoiles.

Il jugea bien que c'était un piège: on voit trois étoiles dans un trou, on monte vers elles, ensuite on ne peut plus descendre, on reste là à mordre les étoiles...

Mais sa faim de lumière était telle qu'il monta.

pronoun and possessive adjective compare the following sentences: **on pense d'abord à soi;** and **on doit étudier sa leçon.**

16

Il monta, en corrigeant mieux les remous, grâce aux repères qu'offraient les étoiles. Leur aimant pâle l'attirait. Il avait peiné si longtemps, à la poursuite d'une lumière, qu'il n'aurait plus lâché la plus confuse. Riche d'une lueur d'auberge, il aurait tourné jusqu'à la mort, autour de ce signe dont il avait faim. Et voici qu'il montait vers des champs de lumière.

Il s'élevait peu à peu, en spirale, dans le puits qui s'était ouvert, et se refermait au-dessous de lui. Et les nuages perdaient, à mesure qu'il montait, leur boue d'ombre, ils passaient contre lui, comme des vagues de plus en plus pures et blanches. Fabien émergea.

Sa surprise fut extrême: la clarté était telle qu'elle l'éblouissait. Il dut, quelques secondes, fermer les yeux. Il n'aurait jamais cru que les nuages, la nuit, pussent éblouir. Mais la pleine lune et toutes les constellations les changeaient en vagues rayonnantes.

L'avion avait gagné d'un seul coup, à la seconde même où il émergeait, un calme qui semblait extraordinaire. Pas une houle ne l'inclinait. Comme une barque qui passe la digue, il entrait dans les eaux réservées. Il était pris dans une part de ciel inconnue et cachée comme la baie des îles bienheureuses.[1] La tempête, au-dessous de lui, formait un autre monde de trois mille mètres d'épaisseur, parcouru de rafales, de trombes d'eau, d'éclairs, mais elle tournait vers les astres une face de cristal et de neige.

---

[1] îles bienheureuses: usually îles des Bienheureux, *Islands of the Blest*. Mythological sojourn to which the gods transferred especially favored mortals.

Fabien pensait avoir gagné des limbes étranges, car tout devenait lumineux, ses mains, ses vêtements, ses ailes. Car la lumière ne descendait pas des astres, mais elle se dégageait, au-dessous de lui, autour de lui, de ces provisions blanches.

Ces nuages, au-dessous de lui, renvoyaient toute la neige qu'ils recevaient de la lune. Ceux de droite et de gauche aussi, hauts comme des tours. Il circulait un lait [2] de lumière, dans lequel baignait l'équipage. Fabien, se retournant, vit que le radio souriait.

— Ça va mieux! criait-il.[3]

Mais la voix se perdait dans le bruit du vol, seuls communiquaient les sourires. « Je suis tout à fait fou, pensait Fabien, de sourire: nous sommes perdus. »

Pourtant, mille bras obscurs l'avaient lâché. On avait dénoué ses liens, comme ceux d'un prisonnier qu'on laisse marcher seul, un temps, parmi les fleurs.

« Trop beau », pensait Fabien. Il errait parmi des étoiles accumulées avec la densité d'un trésor, dans un monde où rien d'autre, absolument rien d'autre que lui, Fabien, et son camarade, n'était vivant. Pareils à ces voleurs des villes fabuleuses, murés dans la chambre aux trésors dont ils ne sauront plus sortir. Parmi des pierreries glacées, ils errent, infiniment riches, mais condamnés.

[2] **Il circulait un lait:** Compare note 17, p. xvii.

[3] **criait-il:** The fact that **criait** is in the same tense as **souriait** in the last sentence of the preceding paragraph indicates that **il** refers to the wireless operator.

17

Un des radiotélégraphistes de Commodoro Rivadavia, escale de Patagonie, fit un geste brusque, et tous ceux qui veillaient, impuissants, dans le poste, se ramassèrent autour de cet homme, et se penchèrent.

Ils se penchaient sur un papier vierge et dûrement éclairé. La main de l'opérateur hésitait encore, et le crayon se balançait. La main de l'opérateur tenait encore les lettres prisonnières, mais déjà les doigts tremblaient.

— Orages?

10 Le radio fit « oui » de la tête. Leur grésillement l'empêchait de comprendre.

Puis il nota quelques signes indéchiffrables. Puis des mots. Puis on put rétablir le texte:

« Bloqués à trois mille huit au-dessus de la tempête. Naviguons plein Ouest vers l'intérieur, car étions dérivés en mer. Au-dessous de nous tout est bouché. Nous ignorons si survolons toujours la mer. Communiquez si tempête[1] s'étend à l'intérieur. »

On dut, à cause des orages, pour transmettre ce télégramme 20 à Buenos-Ayres, faire la chaîne de poste en poste. Le message avançait dans la nuit, comme un feu qu'on allume de tour en tour.

Buenos-Ayres fit répondre:

— Tempête générale à l'intérieur. Combien vous reste-t-il d'essence?

---

[1] (Nous sommes) bloqués... (nous) naviguons... car (nous) étions... si (nous) survolons... si (la) tempête: Understand the words in parentheses.

64

— Une demi-heure.

Et cette phrase, de veilleur en veilleur, remonta jusqu'à Buenos-Ayres.

L'équipage était condamné à s'enfoncer, avant trente minutes, dans un cyclone qui le drosserait jusqu'au sol.

18

Et Rivière médite. Il ne conserve plus d'espoir: cet équipage sombrera quelque part dans la nuit.

Rivière se souvient d'une vision qui avait frappé son enfance: on vidait un étang pour trouver un corps. On ne trouvera rien non plus, avant que cette masse d'ombre se soit écoulée de sur la terre, avant que remontent au jour ces sables, ces plaines, ces blés. De simples paysans découvriront peut-être deux enfants au coude plié sur le visage, et paraissant dormir, échoués sur l'herbe et l'or d'un fond paisible. Mais la nuit les aura noyés.

Rivière pense aux trésors ensevelis dans les profondeurs de la nuit comme dans les mers fabuleuses... Ces pommiers de nuit qui attendent le jour avec toutes leurs fleurs, des fleurs qui ne servent pas encore. La nuit est riche, pleine de parfums, d'agneaux endormis et de fleurs qui n'ont pas encore de couleurs.

Peu à peu monteront vers le jour les sillons gras, les bois mouillés, les luzernes fraîches. Mais parmi des collines, maintenant inoffensives, et les prairies, et les agneaux, dans la sagesse du monde, deux enfants sembleront dormir. Et quelque chose aura coulé du monde visible dans l'autre.

Rivière connaît la femme de Fabien inquiète et tendre: cet amour à peine lui fut prêté, comme un jouet à un enfant pauvre.

Rivière pense à la main de Fabien, qui tient pour quelques minutes encore sa destinée dans les commandes. Cette main qui a caressé. Cette main qui s'est posée sur un visage, et qui a changé ce visage. Cette main qui était miraculeuse.

Fabien erre sur la splendeur d'une mer de nuages, la nuit,
mais, plus bas, c'est l'éternité. Il est perdu parmi des constellations qu'il habite seul. Il tient encore le monde dans les
mains et contre sa poitrine le balance. Il serre dans son volant
le poids de la richesse humaine, et promène, désespéré, d'une
étoile à l'autre, l'inutile trésor, qu'il faudra bien rendre...

Rivière pense qu'un poste radio l'écoute encore. Seule
relie encore Fabien au monde une onde musicale, une modulation mineure. Pas une plainte. Pas un cri. Mais le son le
plus pur qu'ait jamais formé le désespoir.   10

19

Robineau le tira de sa solitude:

— Monsieur le Directeur, j'ai pensé... on pourrait peut-être essayer...

Il n'avait rien à proposer, mais témoignait ainsi de sa bonne volonté. Il aurait tant aimé trouver une solution, et la cherchait un peu comme celle d'un rébus. Il trouvait toujours des solutions que Rivière n'écoutait jamais: « Voyez-vous, Robineau, dans la vie il n'y a pas de solutions. Il y a des forces en marche: il faut les créer, et les solutions suivent ». Aussi Robineau bornait-il son rôle à créer une force en marche dans la corporation des mécaniciens. Une humble force en marche, qui préservait de la rouille les moyeux d'hélice.

Mais les événements de cette nuit-ci trouvaient Robineau désarmé. Son titre d'inspecteur n'avait aucun pouvoir sur les orages, ni sur un équipage fantôme, qui vraiment ne se débattait plus pour une prime d'exactitude, mais pour échapper à une seule sanction, qui annulait celles de Robineau, la mort.

Et Robineau, maintenant inutile, errait dans les bureaux, sans emploi.

La femme de Fabien se fit annoncer. Poussée par l'inquiétude, elle attendait, dans le bureau des secrétaires, que Rivière la reçût.[1] Les secrétaires, à la dérobée, levaient les yeux vers son visage. Elle en éprouvait une sorte de honte et regardait avec crainte autour d'elle: tout ici la refusait. Ces

---

[1] que Rivière la reçût: After **attendre** the conjunction **que** is equivalent to **jusqu'à ce que** and is followed by the subjunctive. Translate *until Rivière should receive her* or *for Rivière to receive her.*

hommes qui continuaient leur travail, comme s'ils marchaient
sur un corps, ces dossiers où la vie humaine, la souffrance
humaine ne laissaient qu'un résidu de chiffres durs.   Elle
cherchait des signes qui lui eussent parlé de Fabien; chez elle
tout montrait cette absence: le lit entr'ouvert, le café servi, un
bouquet de fleurs...   Elle ne découvrait aucun signe.   Tout
s'opposait à la pitié, à l'amitié, au souvenir.   La seule phrase
qu'elle entendît, car personne n'élevait la voix devant elle, fut
le juron d'un employé, qui réclamait un bordereau.   « ...Le
bordereau des dynamos, bon Dieu! [2] que nous expédions à 10
Santos. »   Elle leva les yeux sur cet homme, avec une expression d'étonnement infini.   Puis sur le mur où s'étalait une
carte.   Ses lèvres tremblaient un peu, à peine.

Elle devinait, avec gêne, qu'elle exprimait ici une vérité
ennemie, regrettait presque d'être venue, eût voulu se cacher,
et se retenait, de peur qu'on la remarquât trop, de tousser,
de pleurer.   Elle se découvrait insolite, inconvenante, comme
nue.   Mais sa vérité était si forte, que les regards fugitifs re-
montaient, à la dérobée, inlassablement, la lire dans son visage.
Cette femme était très belle.   Elle révélait aux hommes le 20
monde sacré du bonheur.   Elle révélait à quelle matière
auguste on touche, sans le savoir, en agissant.   Sous tant de
regards elle ferma les yeux.   Elle révélait quelle paix, sans le
savoir, on peut détruire.

Rivière la reçut.

Elle venait plaider timidement pour ses fleurs, son café
servi, sa jeunesse.   De nouveau, dans ce bureau plus froid
encore, son faible tremblement de lèvres la reprit.   Elle aussi
découvrait sa propre vérité, dans cet autre monde, inexprimable.   Tout ce qui se dressait en elle d'amour [3] presque sauvage, 30
tant il était fervent, de dévouement, lui semblait prendre ici un
visage importun, égoïste.   Elle eût voulu fuir:

[2] **bon Dieu:** See **dieu** in the vocabulary and note that this expression
is much more emphatic and profane than **mon Dieu.**
[3] **tout ce qui... d'amour, etc.:** See note 1, p. 27.

— Je vous dérange...

— Madame, lui dit Rivière, vous ne me dérangez pas. Malheureusement, Madame, vous et moi ne pouvons mieux faire que d'attendre.[4]

Elle eut un faible haussement d'épaules, dont Rivière comprit le sens: « A quoi bon cette lampe, ce dîner servi, ces fleurs que je vais retrouver... » Une jeune mère avait confessé un jour à Rivière: « La mort de mon enfant, je ne l'ai pas encore comprise. Ce sont les petites choses qui sont dures, ses vête-
10 ments que je retrouve, et, si je me réveille la nuit, cette tendresse, qui me monte quand même au cœur, désormais inutile, comme mon lait... » Pour cette femme aussi la mort de Fabien commencerait demain à peine, dans chaque acte désormais vain, dans chaque objet. Fabien quitterait lentement sa maison. Rivière taisait une pitié profonde.

— Madame...

La jeune femme se retirait, avec un sourire presque humble, ignorant sa propre puissance.

Rivière s'assit, un peu lourd.

20 « Mais elle m'aide à découvrir ce que je cherchais... »

Il tapotait distraitement les télégrammes de protection des escales Nord. Il songeait.

« Nous ne demandons pas à être éternels, mais à ne pas voir les actes et les choses tout à coup perdre leur sens. Le vide qui nous entoure se montre alors... »

Ses regards tombèrent sur les télégrammes:

« Et voilà par où, chez nous, s'introduit la mort: ces messages qui n'ont plus de sens... »

Il regarda Robineau. Ce garçon médiocre, maintenant
30 inutile, n'avait plus de sens. Rivière lui dit presque durement:

— Faut-il vous donner, moi-même, du travail?

Puis Rivière poussa la porte qui donnait sur la salle des secrétaires, et la disparition de Fabien le frappa, évidente, à

---

[4] **pouvons mieux faire que d'attendre:** Note the use of **de** with an infinitive standing in a comparison after **que** (*than*). Omit in translation.

des signes que Mme Fabien n'avait pas su voir.   La fiche du
R. B. 903, l'avion de Fabien, figurait déjà, au tableau mural,
dans la colonne du matériel indisponible.   Les secrétaires qui
préparaient les papiers du courrier d'Europe, sachant qu'il
serait retardé, travaillaient mal.   Du terrain on demandait
par téléphone des instructions pour les équipes qui, maintenant,
veillaient sans but.   Les fonctions de vie étaient ralenties.
« La mort, la voilà ! » pensa Rivière.   Son œuvre était semblable à un voilier en panne, sans vent, sur la mer.

Il entendit la voix de Robineau: 10
— Monsieur le Directeur... ils étaient mariés depuis six
semaines...[5]
— Allez travailler.

Rivière regardait toujours les secrétaires et, au delà des
secrétaires, les manœuvres, les mécaniciens, les pilotes, tous
ceux qui l'avaient aidé dans son œuvre, avec une foi de
bâtisseurs.   Il pensa aux petites villes d'autrefois qui enten-
daient parler des « Iles » et se construisaient un navire.   Pour
le charger de leur espérance.   Pour que les hommes pussent
voir leur espérance ouvrir ses voiles sur la mer.   Tous grandis, 20
tous tirés hors d'eux-mêmes, tous délivrés par un navire.
« Le but peut-être ne justifie rien, mais l'action délivre de la
mort.   Ces hommes duraient par leur navire. »

Et Rivière luttera aussi contre la mort, lorsqu'il rendra aux
télégrammes leur plein sens, leur inquiétude aux équipes de
veille et aux pilotes leur but dramatique.   Lorsque la vie
ranimera [6] cette œuvre, comme le vent ranime un voilier, en
mer.

[5] **ils étaient mariés depuis six semaines:** Translate *they had been
married for six weeks (when this happened)* or, better, *they were married just six
weeks ago.*   Note use of the imperfect (**étaient**) with **depuis**.   Robineau
regards Fabien's disappearance as having already happened.

[6] **lorsqu'il rendra... lorsque la vie ranimera:** Note the logical use of
the future tense after a conjunction of time (**lorsque**).   In English the
present tense is ordinarily used in such clauses.

20

Commodoro Rivadavia n'entend plus rien, mais à mille kilomètres de là,[1] vingt minutes plus tard, Bahia Blanca capte un second message: [2]

« Descendons.   Entrons [3] dans les nuages... »

Puis ces deux mots d'un texte obscur apparurent dans le poste de Trelew:

« ...rien voir... »

Les ondes courtes sont ainsi.   On les capte là, mais ici on demeure sourd.   Puis, sans raison, tout change.   Cet équipage, dont la position est inconnue, se manifeste déjà aux vivants, hors de l'espace, hors du temps, et sur les feuilles blanches des postes radio ce sont déjà des fantômes qui écrivent.

L'essence est-elle épuisée, ou le pilote joue-t-il, avant la panne, sa dernière carte: retrouver le sol sans l'emboutir?

La voix de Buenos-Ayres ordonne à Trelew:

« Demandez-le-lui. »

Le poste d'écoute T. S. F. ressemble à un laboratoire: nickels, cuivres et manomètres, réseau de conducteurs.   Les opérateurs de veille, en blouse blanche, silencieux, semblent courbés sur une simple expérience.

De leurs doigts délicats ils touchent les instruments, ils explorent le ciel magnétique, sourciers qui cherchent la veine d'or.

---

[1] **à mille kilomètres de là:** Translate *one thousand kilometers away*.   See note 1, p. 58.

[2] **second message:** For the first see Chapter XVII, p. 64.

[3] **(Nous) descendons, (nous) entrons:** Understand the words in parentheses.

— On ne répond pas?

— On ne répond pas.

Ils vont peut-être accrocher cette note qui serait un signe de vie. Si l'avion et ses feux de bord remontent parmi les étoiles, ils vont peut-être entendre chanter cette étoile...

Les secondes s'écoulent. Elles s'écoulent vraiment comme du sang. Le vol dure-t-il encore? Chaque seconde emporte une chance. Et voilà que le temps qui s'écoule semble détruire. Comme, en vingt siècles, il touche un temple, fait son chemin dans le granit et répand le temple en poussière, voilà que des siècles d'usure se ramassent dans chaque seconde et menacent un équipage.

Chaque seconde emporte quelque chose. Cette voix de Fabien, ce rire de Fabien, ce sourire. Le silence gagne du terrain. Un silence de plus en plus lourd, qui s'établit sur cet équipage comme le poids d'une mer.

Alors quelqu'un remarque:

— Une heure quarante. Dernière limite de l'essence: il est impossible qu'ils volent encore.

Et la paix se fait.

Quelque chose d'amer et de fade remonte aux lèvres comme aux fins de voyage. Quelque chose s'est accompli dont on ne sait rien, quelque chose d'un peu écœurant. Et parmi tous ces nickels et ces artères de cuivre, on ressent la tristesse même qui règne sur les usines ruinées. Tout ce matériel semble pesant, inutile, désaffecté: un poids de branches mortes.

Il n'y a plus qu'à attendre le jour.

Dans quelques heures émergera au jour l'Argentine entière, et ces hommes demeurent là, comme sur une grève, en face du filet que l'on tire, que l'on tire lentement, et dont on ne sait pas ce qu'il va contenir.

Rivière, dans son bureau, éprouve cette détente que seuls permettent les grands désastres, quand la fatalité délivre l'homme. Il a fait alerter la police de toute une province. Il ne peut plus rien, il faut attendre.

Mais l'ordre doit régner même dans la maison des morts. Rivière fait signe à Robineau:

— Télégramme pour les escales Nord: Prévoyons retard important du courrier de Patagonie. Pour ne pas retarder trop courrier d'Europe, bloquerons courrier [4] de Patagonie avec le courrier d'Europe suivant.

Il se plie un peu en avant. Mais il fait un effort et se souvient de quelque chose, c'était grave. Ah! oui. Et pour ne pas l'oublier:

10   — Robineau.

— Monsieur Rivière?

— Vous rédigerez une note. Interdiction aux pilotes de dépasser dix-neuf cents tours: [5] on me massacre [6] les moteurs.

— Bien, monsieur Rivière.

Rivière se plie un peu plus. Il a besoin, avant tout, de solitude:

— Allez, Robineau. Allez, mon vieux...

Et Robineau s'effraie de cette égalité devant des ombres.

---

[4] **(Nous) prévoyons (un) retard... trop (le) courrier... (nous) bloquerons (le) courrier:** Understand the words in parentheses.

[5] **dix-neuf cents tours (par minute):** Translate *nineteen hundred revolutions (of the crank-shaft) per minute.* The action of this novel takes place before the development of the high speed motor.

[6] **on me massacre: Me** is the dative of interest. See note **4, p. 21.**

21

Robineau errait maintenant, avec mélancolie, dans les bureaux. La vie de la Compagnie s'était arrêtée, puisque ce courrier, prévu pour deux heures, serait décommandé, et ne partirait plus qu'au jour. Les employés aux visages fermés veillaient encore, mais cette veille était inutile. On recevait encore, avec un rythme régulier, les messages de protection [1] des escales Nord, mais leurs « ciels purs » et leurs « pleine lune » et leurs « vent nul » éveillaient l'image d'un royaume stérile. Un désert de lune et de pierres. Comme Robineau feuilletait, sans savoir d'ailleurs pourquoi, un dossier auquel ₁₀ travaillait le chef de bureau, il aperçut celui-ci, debout en face de lui, et qui attendait, avec un respect insolent, qu'il le lui rendît.[2] L'air de dire: « Quand vous voudrez bien, n'est-ce pas? c'est à moi... » Cette attitude d'un inférieur choqua l'inspecteur, mais aucune réplique ne lui vint, et, irrité, il tendit le dossier. Le chef de bureau retourna s'asseoir avec une grande noblesse. « J'aurais dû l'envoyer [3] promener », pensa Robineau. Alors, par contenance, il fit quelques pas en songeant au drame. Ce drame entraînerait la disgrâce d'une politique, et Robineau pleurait un double deuil. ₂₀

Puis lui vint l'image d'un Rivière enfermé, là, dans son bureau, et qui lui avait dit: « Mon vieux... » Jamais homme n'avait, à ce point, manqué d'appui. Robineau éprouva

[1] **messages de protection**: Message is equivalent to **télégramme**. See **télégramme** in the vocabulary.

[2] **qu'il le lui rendît**: For que after **attendre** see note 1, p. 68.

[3] **J'aurais dû l'envoyer...**: Translate *I ought to have sent*. . . . See note 1, p. 1.

pour lui une grande pitié.   Il remuait dans sa tête quelques phrases obscurément destinées à plaindre, à soulager.   Un sentiment qu'il jugeait très beau l'animait.   Alors il frappa doucement.   On ne répondit pas.   Il n'osa frapper plus fort, dans ce silence, et poussa la porte.   Rivière était là.   Robineau entrait chez Rivière, pour la première fois presque de plain pied, un peu en ami, un peu, dans son idée, comme le sergent qui rejoint, sous les balles, le général blessé, et l'accompagne dans la déroute, et devient son frère dans l'exil.   « Je suis avec vous, quoi qu'il arrive », semblait vouloir dire Robineau.

Rivière se taisait et, la tête penchée, regardait ses mains.   Et Robineau, debout devant lui, n'osait plus parler.   Le lion, même abattu, l'intimidait.   Robineau préparait des mots de plus en plus ivres de dévouement, mais, chaque fois qu'il levait les yeux, il rencontrait cette tête inclinée de trois quarts, ces cheveux gris, ces lèvres serrées sur quelle amertume ! Enfin il se décida :

— Monsieur le Directeur...

Rivière leva la tête et le regarda.   Rivière sortait d'un songe si profond, si lointain, que peut-être il n'avait pas remarqué encore la présence de Robineau.   Et nul ne sut jamais quel songe il fit, ni ce qu'il éprouva, ni quel deuil s'était fait dans son cœur.   Rivière regarda Robineau, longtemps, comme le témoin vivant de quelque chose.   Robineau fut gêné.   Plus Rivière regardait Robineau, plus se dessinait sur les lèvres de celui-là une incompréhensible ironie.   Plus Rivière regardait Robineau et plus Robineau rougissait.   Et plus Robineau semblait,[4] à Rivière, être venu pour témoigner ici, avec une bonne volonté touchante, et malheureusement spontanée, de la sottise des hommes.

Le désarroi envahit Robineau.   Ni le sergent, ni le général, ni les balles n'avaient plus cours.   Il se passait quelque chose

---

[4] **(Plus Rivière regardait Robineau) Et plus Robineau semblait...:** Understand the words in parentheses from the preceding sentence.

d'inexplicable.   Rivière le regardait toujours.   Alors, Robineau, malgré soi,[5] rectifia un peu son attitude, sortit la main de sa poche gauche.   Rivière le regardait toujours.   Alors, enfin, Robineau, avec une gêne infinie, sans savoir pourquoi, prononça:

— Je suis venu prendre vos ordres.

Rivière tira sa montre, et simplement:

— Il est deux heures.   Le courrier d'Asuncion atterrira à deux heures dix.   Faites décoller le courrier d'Europe à deux heures et quart.

Et Robineau propagea l'étonnante nouvelle: on ne suspendait pas les vols de nuit.   Et Robineau s'adressa au chef de bureau:

— Vous m'apporterez ce dossier pour que je le contrôle.

Et, quand le chef de bureau fut devant lui:

— Attendez.

Et le chef de bureau attendit.

[5] **malgré soi:** **lui** would be more usual.   See note 1, p. 13.

22

Le courrier d'Asuncion signala qu'il allait atterrir.

Rivière, même aux pires heures, avait suivi, de télégramme en télégramme, sa marche heureuse. C'était pour lui, au milieu de ce désarroi, la revanche de sa foi, la preuve. Ce vol heureux annonçait, par ses télégrammes, mille autres vols aussi heureux. « On n'a pas de cyclones toutes les nuits. » Rivière pensait aussi: « Une fois la route tracée, on ne peut pas ne plus poursuivre ».

Descendant, d'escale en escale, du Paraguay, comme d'un
10 adorable jardin riche de fleurs, de maisons basses et d'eaux lentes, l'avion glissait en marge d'un cyclone qui ne lui brouillait pas une étoile. Neuf passagers roulés dans leurs couvertures de voyage, s'appuyaient du front à leur fenêtre,[1] comme à une vitrine pleine de bijoux, car les petites villes d'Argentine égrenaient déjà, dans la nuit, tout leur or, sous l'or plus pâle des villes d'étoiles. Le pilote, à l'avant, soutenait de ses mains sa précieuse charge de vies humaines, les yeux grands ouverts et pleins de lune, comme un chevrier. Buenos-Ayres déjà, emplissait l'horizon de son feu rose, et bientôt
20 luirait de toutes ses pierres, ainsi qu'un trésor fabuleux. Le radio, de ses doigts, lâchait les derniers télégrammes, comme les notes finales d'une sonate qu'il eût tapotée,[2] joyeux, dans le ciel, et dont Rivière comprenait le chant, puis il remonta l'antenne, puis il s'étira un peu, bâilla et sourit: on arrivait.

[1] **s'appuyaient du front à leur fenêtre:** Note the distributive use of the singular. Each passenger had one forehead and leaned it against one window. Translate *rested their foreheads against their windows*.

[2] **eût tapotée:** Note the use of the subjunctive to express what was a possibility, but not a reality.

Le pilote, ayant atterri, retrouva le pilote du courrier
d'Europe, adossé contre son avion, les mains dans les poches.

— C'est toi qui continues?

— Oui.

— La Patagonie est là?

— On ne l'attend pas: disparue.   Il fait beau?

— Il fait très beau.   Fabien a disparu?

Ils en parlèrent peu.   Une grande fraternité les dispensait
des phrases.

On transbordait dans l'avion d'Europe les sacs de transit
d'Asuncion, et le pilote, toujours immobile, la tête renversée,
la nuque contre la carlingue, regardait les étoiles.   Il sentait
naître en lui un pouvoir immense, et un plaisir puissant lui
vint.

— Chargé? fit une voix.   Alors, contact.

Le pilote ne bougea pas.   On mettait son moteur en marche.
Le pilote allait sentir dans ses épaules, appuyées à l'avion, cet
avion vivre.   Le pilote se rassurait, enfin, après tant de
fausse nouvelles: partira... partira pas... partira!   Sa bouche
s'entr'ouvrit, et ses dents brillèrent sous la lune comme celles
d'un jeune fauve.

— Attention, la nuit, hein!

Il n'entendit pas le conseil de son camarade.   Les mains
dans les poches, la tête renversée, face à des nuages, des montagnes, des fleuves et des mers, voici qu'il commençait un rire
silencieux.   Un faible rire, mais qui passait en lui, comme une
brise dans un arbre, et le faisait tout entier tressaillir.   Un
faible rire, mais bien plus fort que ces nuages, ces montagnes,
ces fleuves et ces mers.

— Qu'est-ce qui te prend?

— Cet imbécile de Rivière [3] qui m'a... qui s'imagine que
j'ai peur!

[3] **Cet imbécile de Rivière:** See the vocabulary for the meaning of
imbécile.   Note the use of **de** alone in French when in English we use
either *of a* or else an adjective instead of a noun.   Compare **son scélérat
de frère,** *his rascal of a brother* or *his rascally brother.*   See note 4, p. 8.

23

Dans une minute il franchira Buenos-Ayres, et Rivière, qui reprend sa lutte, veut l'entendre. L'entendre naître, gronder et s'évanouir, comme le pas formidable d'une armée en marche dans les étoiles.

Rivière, les bras croisés, passe parmi les secrétaires. Devant une fenêtre il s'arrête, écoute et songe.

S'il avait suspendu un seul départ, la cause des vols de nuit était perdue. Mais, devançant les faibles, qui demain le désavoueront, Rivière, dans la nuit, a lâché cet autre équipage. 10 Victoire... défaite... ces mots n'ont point de sens. La vie est au-dessous de ces images, et déjà prépare de nouvelles images. Une victoire affaiblit un peuple, une défaite en réveille un autre. La défaite qu'a subie Rivière est peut-être un enseignement qui rapproche la vraie victoire. L'événement en marche compte seul.

Dans cinq minutes les postes T. S. F. auront alerté les escales. Sur quinze mille kilomètres le frémissement de la vie aura résolu tous les problèmes.

Déjà un chant d'orgue monte: l'avion.

20 Et Rivière, à pas lents, retourne à son travail, parmi les secrétaires que courbe son regard dur. Rivière-le-Grand, Rivière-le-Victorieux, qui porte sa lourde victoire.

QUESTIONNAIRE

Préface

1. Quel est le titre du premier livre de Monsieur de Saint Exupéry?

2. Quelle différence y a-t-il entre le héros de ce premier livre et celui de *Vol de nuit?*

3. Pourquoi Monsieur Gide trouve-t-il la figure de Rivière plus étonnante que celle de l'aviateur?

4. Quelle est la vérité paradoxale que Monsieur Gide sait gré à Rivière d'éclairer?

5. Duquel de ses propres livres Monsieur Gide donne-t-il une citation?

6. Pourquoi l'héroïsme tend-il à déserter l'armée aujourd'hui?

7. Selon Monsieur Gide, où le courage se déploie-t-il le plus admirablement aujourd'hui?

8. Dans quelles circonstances Monsieur de Saint Exupéry a-t-il entendu siffler des balles sur sa tête pour la première fois?

9. Est-ce que Monsieur de Saint Exupéry croit le courage fait de sentiments bien beaux? Quels sont ces sentiments?

10. Quelles sont les deux qualités qui donnent à *Vol de nuit* son importance?

Chapitre I

1. Vers quelle heure du jour commence l'action de ce récit?

2. De combien de personnes se compose l'équipage de l'avion?

3. D'où le pilote Fabien ramène-t-il le courrier? Vers quelle ville?

4. A quoi Fabien se compare-t-il? A quoi compare-t-il les villages où il s'arrête?

5. A quel village va-t-il atterrir?

6. Pourquoi le radio navigant veut-il coucher dans ce village?

7. Quels sont les sentiments de Fabien pendant qu'il est en train de descendre sur ce village?

8. On dit d'habitude que la nuit tombe. Pourquoi semble-t-il à Fabien que la nuit monte?

9. Qu'est-ce que la lampe de secours d'un aviateur?

10. Combien pèse l'avion de Fabien?

Chapitre II

1. Combien d'avions postaux se dirigeaient vers Buenos-Ayres?

2. Duquel de ces avions s'agissait-il dans le chapitre précédant?

3. D'où revenaient les autres?

4. Pourquoi attendait-on leur chargement à Buenos-Ayres?

5. Comment s'appelle la personne qui est responsable du réseau entier?

6. Quel était le message du poste Radio que lui a communiqué un manœuvre?

7. Est-ce que l'arrivée des avions postaux terminerait l'inquiétude de ce chef?

8. Quelle pièce le contremaître Leroux ajustait-il?

9. Pourquoi Rivière s'est-il dirigé vers le hangar après avoir parlé à Leroux?

Chapitre III

1. Comment s'appelle le pilote de l'avion du Chili?

2. Pourquoi les manœuvres et les mécaniciens s'approchent-ils de l'avion dès que le pilote stoppe?

3. Quelle question pose-t-on au pilote quand il ne descend pas tout de suite?

4. Quels sont les premiers mots du pilote? Que signifient-ils?

5. Combien de personnes y a-t-il dans la voiture qui emporte le pilote vers Buenos-Ayres? Quelles sont-elles?

6. Près de quel endroit se trouvait l'aviateur quand il a remarqué l'approche du cyclone?

7. Comment le cyclone a-t-il annoncé son approche?

8. Après avoir atterri à Buenos-Ayres, le pilote retrouve-t-il en lui le souvenir des détails de sa lutte avec le cyclone?

Chapitre IV

1. Est-ce que Pellerin racontera à sa femme son aventure sur les Andes?

2. Que lui dira-t-il?

3. Qu'est-ce que Rivière dit à Pellerin pour le féliciter?

4. La neige a-t-elle empêché Pellerin de voir?

5. La tempête est-elle arrivée à Mendoza avant Pellerin?

6. Est-ce que l'inspecteur est en Argentine depuis long-temps?

7. Est-il permis à l'inspecteur Robineau d'avoir des amis parmi les pilotes?

8. Est-ce que les règlements établis par Rivière vous semblent injustes?

9. L'inspecteur Robineau comprend-il la raison de ces règlements?

10. En entrant en ville, où Rivière se fait-il conduire?

Chapitre V

1. Pourquoi Robineau admire-t-il Pellerin?

2. Comment Robineau a-t-il fait preuve d'ignorance?

3. Où Robineau a-t-il travaillé avant de venir à Buenos-Ayres?

4. Qu'est-ce qu'il a sauvé depuis qu'il travaille pour la Compagnie?

5. De quelle maladie Robineau est-il affligé?

6. Pourquoi Robineau invite-t-il Pellerin à dîner avec lui?

Chapitre VI

1. Quand Rivière entre dans les bureaux, quelle est l'effet de cette entrée?

2. Pourquoi le courrier de Patagonie est-il en avance sur l'horaire?

3. Est-ce que les messages météo indiquent un temps favorable au vol de nuit?

4. Pourquoi Rivière fait-il chercher Robineau?

5. Qu'est-ce que Robineau a ramené du Sahara?

6. Quelle raison Robineau donne-t-il pour quitter Pellerin?

7. Pourquoi Rivière fait-il infliger une sanction au pilote Pellerin par l'inspecteur Robineau?

8. Quelle est la sanction? et quel en est le motif?

9. Quel message un terrain de secours communique-t-il par T. S. F.?

10. Pour Rivière, à quoi ressemblent les noms des villes franchies par un avion en vol?

Chapitre VII

1. Combien de temps se passe-t-il entre les événements du chapitre VI et ceux du chapitre VII?

2. De quoi s'agit-il dans ce dernier chapitre?

3. De quel point de vue l'auteur s'est-il placé pour écrire ce chapitre?

4. Quelle est la seule protection de l'équipage dans sa descente au cœur de la nuit?

5. Quel est le responsable: Fabien ou le radio navigant?

Chapitre VIII

1. Pourquoi Rivière est-il sorti des bureaux?

2. Vers quelle heure est-il rentré de sa promenade?

3. A quoi ressemblaient les bureaux quand Rivière les a traversés?

4. Combien de secrétaires a-t-il trouvés en train de travailler? Dans quel bureau?

5. Est-ce qu'il y avait quelque chose d'important dans les télégrammes que Rivière a reçus par téléphone?

6. Qu'est-ce qu'on a répondu à Rivière quand il s'est informé des courriers?

7. Qu'est-ce que le secrétaire a présenté à Rivière? Pourquoi?

Chapitre IX

1. Où Rivière ressent-il une douleur en rejoignant son bureau personnel?
2. Depuis combien de temps cette douleur le tourmente-t-elle?
3. Quel âge a Rivière?
4. De quoi s'agit-il dans les trois premières notes de service que signe Rivière?
5. De qui s'agit-il dans la quatrième note de service?
6. Quelle place Rivière a-t-il offerte à cet homme?
7. Pourquoi celui-ci a-t-il refusé cette place?
8. Qu'est-ce qu'on a dû faire pour préparer le 650 avant de le mettre en piste? Pourquoi?
9. A qui Rivière demande-t-il que le secrétaire téléphone?
10. De quoi ce pilote a-t-il été coupable?

Chapitre X

1. Qui est-ce que le téléphone réveille?
2. Réveille-t-elle tout de suite son mari?
3. Quelles sont les deux questions que pose son mari en ouvrant les yeux?
4. Pourquoi la direction du vent est-elle favorable à ce qu'il doit faire bientôt?
5. Pour combien de jours s'en va-t-il?
6. Quel conseil le pilote reçoit-il de sa femme?
7. Pourquoi veut-il qu'elle lui cherche un cordon?
8. Pourquoi le pilote se peigne-t-il soigneusement? Qu'est-ce que sa femme en pense?

Chapitre XI

1. Quelle blague le pilote a-t-il fait à Rivière?
2. De quoi Rivière accuse-t-il le pilote?
3. Que dit le pilote pour s'excuser?
4. Pourquoi Rivière est-il sûr que le moteur ne s'est pas mis à vibrer?
5. En congédiant le pilote, que lui dit Rivière?

6. En se montrant très sévère pour le pilote, de quoi Rivière le sauve-t-il?

7. Pourquoi le vol de nuit était-ce une question de vie ou de mort pour les compagnies de navigation aérienne?

8. Rivière a-t-il livré, dans les cercles officiels, beaucoup de batailles pour la conquête de la nuit?

9. Lors des premières expériences de vol de nuit, à quelle heure les avions partaient-ils?

10. Quand Rivière a-t-il osé pousser les courriers dans les profondeurs de la nuit?

Chapitre XII

1. Pourquoi Fabien renonçait-il à contourner l'orage?

2. Qu'allait-il tenter de faire?

3. Quelle était la hauteur des collines de la region où se trouvait Fabien?

4. Quel message météo le radio a-t-il reçu de Trelew?

5. Combien de temps fallait-il lutter avec l'orage avant d'arriver à cette escale?

6. Pourquoi fallait-il renoncer au projet de retourner à Commodoro?

7. De quelles escales Fabien a-t-il fait demander le temps par son radio navigant?

8. Quelle question Fabien a-t-il fait adresser à Buenos-Ayres?

9. Vers quelle heure croyez-vous que Fabien a fait adresser cette question à Buenos-Ayres?

10. Pourquoi le pilote ne pouvait-il espérer voler jusqu'à l'aube?

Chapitre XIII

1. Vers quelle heure le courrier d'Asuncion arrivera-t-il à Buenos-Ayres?

2. Pourquoi prévoit-on un retard important du courrier de Patagonie?

3. Va-t-on attendre l'arrivée de Fabien pour faire décoller le courrier d'Europe?

4. Au-dessus de quels grands pays sud-américains passera le courrier d'Europe?

5. Est-ce que la route de ce courrier est menacée par la tempête avec laquelle Fabien est en train de lutter?

6. Pourquoi Rivière appelle-t-il l'escale de Bahia Blanca au téléphone?

7. Qu'est-ce que Rivière a fait dans l'espoir de trouver pour Fabien un refuge de ciel pur?

8. Pour quelle heure a-t-on convoqué les secrétaires?

9. Pourquoi les papiers du courrier d'Europe ne sont-ils pas en règle à une heure dix?

10. Est-ce que toutes les villes de province ont signalé la marche du cyclone?

Chapitre XIV

1. Vers quelle heure la femme de Fabien se levait-elle la nuit de chaque retour de son mari?

2. Pourquoi lui préparait-elle un café bien chaud?

3. Vers quelle heure téléphonait-elle aux bureaux de la Compagnie?

4. A qui le secrétaire passe-t-il l'écouteur quand il n'ose pas répondre à Simone Fabien?

5. A quelle heure Fabien a-t-il décollé de Commodoro?

6. Combien de temps faut-il pour se rendre en avion de Commodoro à Trelew?

7. Qu'est-ce que le chef de bureau promet de faire dès qu'il saura quelque chose?

8. Qu'est-ce qu'on répond à Simone quand elle demande à parler au Directeur?

9. Est-ce que Rivière croit qu'il existe quelque chose qui dépasse, en valeur, la vie humaine?

10. Sait-il ce que c'est?

Chapitre XV

1. Quel message le radio passe-t-il à Fabien?

2. Est-il possible que Fabien y réponde?

3. Pourquoi faut-il, à tout prix, entrer en contact avec Buenos-Ayres?

4. Est-ce que Fabien accepterait de suivre n'importe quel conseil?

5. A quoi Fabien use-t-il ses forces?

6. Quel parti prend-il?

7. Qu'est-ce qu'il apprend en lâchant une fusée éclairante?

8. A-t-il d'autres fusées à lâcher?

9. Pourquoi ne sent-il plus ses mains?

10. Qu'est-ce qu'il voit enfin qui le décide à monter?

Chapitre XVI

1. De quelle façon Fabien s'est-il élevé vers les étoiles?

2. Pourquoi Fabien a-t-il été surpris en émergeant?

3. Est-ce que la lumière descendait des astres?

4. La tempête bousculait-elle l'avion au-dessus des nuages?

5. Qu'est-ce que le radio lui a crié quand Fabien s'est retourné vers lui?

6. Le radio avait-il raison de se croire sauvé?

Chapitre XVII

1. Où a-t-on reçu une communication de l'avion de Fabien?

2. Qu'est-ce qui a empêché le radiotélégraphiste de la comprendre?

3. Qu'est-ce qu'on a fait pour transmettre le télégramme à Buenos-Ayres, après en avoir établi le texte?

4. Quelle a été la réponse de Buenos-Ayres?

5. Combien de temps Fabien pourrait-il continuer son vol avec l'essence qui lui restait?

Chapitre XIX

1. Qui est-ce qui tire Rivière de sa solitude?

2. L'inspecteur a-t-il quelque chose à proposer?

3. Pour échapper à quelle sanction Fabien et son radio se débattent-ils?

4. Qui se fait annoncer à Rivière?　Où attend-elle que Rivière la reçoive?

5. Quelle est la seule phrase qu'elle entendît là?

6. Après l'avoir reçue, qu'est-ce que Rivière trouve à lui dire?

7. Simone Fabien pleure-t-elle en quittant le bureau de Rivière?

8. A quels signes la disparition de Fabien est-elle évidente pour Rivière quand celui-ci entre dans la salle des secrétaires?

9. Depuis combien de temps Simone est-elle Madame Fabien?

10. Comment Rivière luttera-t-il contre la mort?

Chapitre XX

1. A quelle distance Bahia Blanca est-elle de Commodoro?

2. Quel message de Fabien y reçoit-on?

3. Quel est le dernier poste qui reçoit des nouvelles du courrier de Patagonie?

4. Ce message donne-t-il des renseignements bien précis?

5. A quoi le poste d'écoute T. S. F. ressemble-t-il?

6. Quelle est l'heure qui marque la dernière limite de l'essence de Fabien?

7. A qui Rivière dicte-t-il un télégramme pour les escales du courrier d'Europe?

8. Quel est le texte de ce télégramme?

9. Quelle note faut-il que Robineau rédige pour les pilotes?

Chapitre XXI

1. Pourquoi les secrétaires travaillent-ils très lentement?

2. Qu'est-ce que Robineau veut dire à Rivière en entrant chez lui?

3. Qu'est-ce qu'il dit?

4. A quelle heure le courrier d'Asunsion atterrira-t-il?

5. Quel ordre Rivière donne-t-il à Robineau?

6. Va-t-on suspendre les vols de nuit?

7. Quelle mesure disciplinaire Robineau prend-il envers le chef de bureau insolent?

Chapitre XXII

1. Pourquoi la marche heureuse du courrier d'Asuncion est-elle la revanche de la foi de Rivière?

2. Pourquoi le pilote du courrier d'Europe rit-il avant de partir?

Chapitre XXIII

1. Si Rivière avait suspendu un seul départ, quelle aurait été la conséquence de cette décision pour la cause des vols de nuit?

2. Combien de temps se passe-t-il entre le commencement et la fin de ce récit?

3. Lequel des personnages de ce récit en est le véritable héros? Pourquoi?

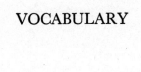

VOCABULARY

VOCABULARY

In this vocabulary the following abbreviations are used:

adj.	— adjective	*num.*	— numeral
adv.	— adverb	*part.*	— participle
conj.	— conjunction	*plur.*	— plural
f.	— feminine	*prep.*	— preposition
inf.	— infinitive	*pres.*	— present
interj.	— interjection	*pro.*	— pronoun
intr.	— intransitive	*sing.*	— singular
m.	— masculine	*tr.*	— transitive
n.	— noun	*v.*	— verb
npr.	— proper noun		

Only the masculine form is given of adjectives which remain unchanged or simply add *e* to form the feminine. The feminine of other adjectives is indicated thus: **heureux, -euse.**

To avoid repetition of the French word for which English translations are being given, a dash is used. To avoid repetition of English words given as translations of a French word, the word "or" in italics is used: e.g., under **absolu** we find "— **de,** absolute *or* despotic *or* peremptory in," which signifies that **absolu de** may be translated by "absolute in," "despotic in" or "peremptory in."

Words in parentheses, when italicized, are not part of the English equivalent; they simply give information: part of speech, or a hint as to some special connection in which the French word has the meaning of the indicated English equivalent. When not in italics words in parentheses may generally be added or omitted in French or in English at the discretion of the person speaking or writing: e.g., **"abandonner,** let go (of)" signifies that this French word may be translated by "let something go" or "let go of something."

The vocabulary is intended to be complete, with the following exceptions: conjunctive, demonstrative, disjunctive, relative, and interrogative pronouns; demonstrative and possessive adjectives, the pronominal adverbs **en** and **y**. In the case of a special or idiomatic combination of words requiring a definite translation, the translation is given under the principal word; the other English word or words of the combination are followed by "see" in italics, and a reference to the principal word: e.g., English equivalents of **beau** are followed by "*see* **faire**," indicating that the English translation of **faire beau** will be found under **faire**.

Reading and translating should not resemble solving a jigsaw puzzle; rather they should involve a comprehension and rendition of both the language and the spirit of the text studied. For this reason there are frequently more English equivalents for one French word than are strictly necessary. Although this perhaps makes the vocabulary seem heavy and cumbersome, it should afford the thoughtful reader an opportunity to *select* English equivalents for the French words and phrases and thus to make a translation acceptably accurate and elegant.

A

à *prep.* to, at, according to, by, on, in, with

abandon *n. m.* desertion, neglect, remissness

abandonner *v.* abandon, let go (of)

abattu *adj.* dejected, felled, laid low

abîme *n. m.* gulf, abyss

abord *n. m.* approach; **d'**— at first; **au premier** — at first sight

aborder *v.* approach, accost

aboutir (à) *v.* end, run (into), come (to)

abri *n. m.* cover, shelter; **à l'**— de under cover *or* shelter of

absence *n. f.* absence

absolu *adj.* absolute, despotic, peremptory; — **de** absolute *or* despotic *or* peremptory in

absolument *adv.* absolutely

absorber *v.* absorb, engross

absurde *adj.* absurd, foolish, unreasonable

acceptation *n. f.* acceptance

accepter *v.* accept

accident *n. m.* accident

accompagner *v.* accompany, go with

accomplir *v.* accomplish; **s'**— come to pass

accomplissement *n. m.* accomplishment, fulfillment

accoudé *adj.* leaning *or* resting on one's elbows

accroché *adj.* attached, hooked *or* pinned

accrocher *v.* catch, hook, "pick up"

accumuler *v.* accumulate, gather together, hoard

acheminer *v.* dispatch; **s'**— go, turn one's steps

achever *v.* achieve, complete, finish

acier *n. m.* steel

acte *n. m.* act, deed

acteur *n. m.* actor

action *n. f.* action

activité *n. f.* activity

Adam *npr.* Adam; *see* **pomme**

adapter *v.* adapt, fit

admettre *v.* accept, admit

admirable *adj.* admirable, splendid, wonderful

admirablement *adv.* admirably

admirateur *n. m.* admirer

admiration *n. f.* admiration

admirer *v.* admire, marvel, wonder (at)

adorable *adj.* adorable, divine

adossé *adj.* leaning

adosser *v.* lean; **s'—** lean back

adresser *v.* send, forward, aim; **s'— à** speak to, inquire of, take it up with

adversaire *n. m.* adversary, opponent

aérien, -enne *adj.* aerial

aéroplace *n. f.* airport

aéroport *n. m.* airport

affaiblir *v.* weaken

affaire *n. f.* affair, matter, situation; *see* **tirer**

affectif, -tive *adj.* emotional

affiche *n. f.* advertisement, poster, sign

affirmer *v.* affirm, state

affligé (de) *adj.* afflicted (with)

affrontement *n. m.* confrontation, encounter, facing

affronter *v.* encounter, dare, face; **s'—** stand face to face, come face to face with each other

Afrique *npr.* Africa

agent *n. m.* agent

agir *v.* act; **s'— de** (*impersonal, third sing. only*) be a question of

agiter *v.* agitate, disturb, shake; **s'—** move (*intr.*), bustle about

agneau *n. m.* lamb

agrandir *v.* enlarge (*tr.*), increase (*intr.*)

agréable *adj.* agreeable, pleasant

ah *interj.* ah, alas

aider *v.* aid, help

aigu, -guë *adj.* keen, pointed, sharp

aiguille *n. f.* hand, indicator, needle

aiguiser *v.* make clear, sharpen; **s'—** become clear

aile *n. f.* wing

ailleurs *adv.* elsewhere; **d'—** besides, moreover

aimant *n. m.* loadstone, magnet

aimer *v.* like, love; **— quelqu'un de faire** like someone because he does

ainsi *adv.* so, thus; **— que** just as, like; *see* **être**

air *n. m.* air, expression, wind; *see* **prise**

aise *n. f.* comfort, ease; **à l'—** comfortably

ajouter *v.* add

ajuster *v.* adjust, fit (*tr.*); **s'—** fit (*intr.*)

alerte *n. f.* alarm

alerter *v.* rouse, warn

aligner *v.* set in a row, put in a straight line

aller *v.* go; **—** *with pres. part.* be *with pres. part.;* **—** *with inf.* go and, go to; **ça va** (that's) all right, that will do; **ça ne va pas** that won't do, that's bad; **ça va mieux** that's better; **s'en —** go (away *or* off); **se laisser —** yield, give way

allumer *v.* light up, turn on (light)

alors *adv.* then

altimètre *n. m.* altimeter, barograph, register of altitude

altitude *n. f.* altitude; **prendre de l'—** mount, get altitude

amant *n. m.* lover

ambiance *n. f.* atmosphere, environment

âme *n. f.* soul

améliorer *v.* ameliorate, improve

amer, -mère *adj.* bitter

Amérique *npr.* America

amertume *n. f.* bitterness, (bitter) thought

ami *n. m.* friend

amie *n. f.* friend

amitié *n. f.* friendship

amorcer *v.* bait, begin

amortir *v.* break, deaden, diminish

amour *n. m.* affection, love

ampoule *n. f.* vial, (electric light) bulb

an *n. m.* year; *see* avoir

ancien, -enne *adj.* ancient, old

Andes *npr.* Andes (Mountains)

angle *n. m.* angle, corner; — de descente angle of declivity

angoisse *n. f.* anguish, pang

animer *v.* animate, stir

année *n. f.* year

annoncer *v.* announce, be the forerunner of, foretell

annuler *v.* abrogate, annul, cancel

anonyme *adj.* anonymous, without striking individuality

antenne *n. f.* aerial, antenna

apaiser *v.* calm, quiet

apercevoir *v.* perceive, see; s'— de notice

apitoiement *n. m.* commiseration, pity

apophtegme *n. m.* apothegm, maxim

apparaître *v.* appear

appareil *n. m.* instrument, machine

apparence *n. f.* appearance, aspect

appât *n. m.* bait, decoy

appel *n. m.* appeal, call, signal

appeler *v.* call, summon

appliquer *v.* apply, exercise; s'— à be exercised on *or* applied to

apporter *v.* bring, produce

apprendre *v.* find out, learn

apprivoiser *v.* tame; s'— become familiar, become less shy

approbation *n. f.* approbation, approval

approche *n. f.* approach

approcher *v.* approach, bring near; — d'une ville approach a city; — une chose d'une autre bring one thing near another

approuver *v.* approve

appui *n. m.* prop, (support of) friendship

appuyé *adj.* inclined, leaning

appuyer *v.* rest (*tr.*), lean (*tr.*); s'— lean (*intr.*)

après *prep.* after

aquarium *n. m.* aquarium

arbre *n. m.* tree

ardemment *adv.* ardently, earnestly, keenly

arête *n. f.* fish bone, ridge (of mountain)

argent *n. m.* silver

Argentine *npr.* Argentine Republic

Aristote *npr.* Aristotle (*Greek philosopher of fourth century* B.C.)

arme *n. f.* arm, weapon; aux —s to arms

armée *n. f.* army

armoire *n. f.* closet, cupboard

armure *n. f.* armor, casing

arracher *v.* snatch, tear up *or* away; — à snatch from; — de tear loose from

arrêter *v.* stop (*tr.*); s'— stop (*intr.*)

arrière *n. m.* stern; en — backward, behind, in opposite direction, to the rear; à l'— de behind

arrivée *n. f.* arrival; à l'— upon arrival, on landing

arriver *v.* arrive, happen

art *n. m.* art

artère *n. f.* artery

asseoir v. place, seat, settle; **s'**— sit down

asservir v. enslave, enthrall

assez adv. enough

assister v. assist

assurance n. f. insurance

assurer v. assure, insure, make sure, secure; **s'**— make certain

astre n. m. star

Asuncion npr. Asunción (*capital of Paraguay*)

atelier n. m. workshop, (all) workmen (in a shop)

Atlantide npr. Atlantis (*island which mythological tradition of antiquity claimed was situated west of Gibraltar*)

attaquer v. assail, attack

atteindre v. arrive at, attain, reach

attendre v. await, wait (for), wait

attente n. f. stopping, waiting; **tromper l'**— while away the time of (unavoidable) waiting

attention n. f. attention; — (*interj.*) look out, "heads up"

atterrir v. land (*boat or airplane*)

atterrissage n. m. landing (*of airplane*); **terrain d'**— landing field

attirer v. allure, attract, draw

attitude n. f. attitude, manner

aube n. f. dawn

auberge n. f. inn, tavern

aucun adj. no; *see* **ne**

au-dessous de prep. beneath

auguste adj. august, holy

aumône n. f. alms, charity

auparavant adv. before, previously

auprès adv. close by; — **de** (*prep.*) near, by the side of

aussi adv. also, as, likewise, so; and so *or* therefore (*at beginning of clause and usually followed by inverted order*)

aussitôt adv. immediately

auteur n. m. author

authentique adj. authentic, authenticated, of authenticity

autorité n. f. authority

autour adv. around; — **de** (*prep.*) around, about

autre adj. other; *see* **part**

autrefois adv. bygone times, former times

avance n. f. advance, advantage, lead; **en** — *or* **d'**— ahead of time, beforehand

avant n. m. forepart, bow, prow; **à l'**— (just) ahead, in front, in the prow

avant adv. before; **en** — forward (*usually implying motion*)

avant prep. before (*of time*); — **de** with inf. before *with pres. part.*; — **que** (*conj.*) before

avec prep. with

aventure n. f. adventure, danger, experience

aventurier n. m. adventurer

avertir v. inform, warn

aveu n. m. admission, avowal, confession

aveugle n. and adj. blind person, blind, sightless, unseeing; **en** — like a blind man, blindly

aveugler v. blind, make blind

aviateur n. m. aviator

aviation n. f. aviation

avion n. m. airplane

avoir v. have, get the better of, master; — **besoin de** need; — **du chagrin** be pained *or* worried; — **conscience de** be conscious of; — **cours** be current, be in vogue, be applicable; — (**très**) **faim** (**de**) be (very) hungry (for); — **froid** be cold; — **peur** (**de**) be afraid (of); — **pitié de** pity; — **raison** be right *or* justified; — **du retard** be delayed; — **lieu** take place; — **cinquante ans** be fifty years

old; — un haussement d'é-
paules shrug one's shoulders;
— quelque chose à faire have
something to do; y — (*impersonal, third sing. only*) there *with*
to be

avouer *v.* acknowledge, avow, confess

axe *n. m.* axle, spindle

B

bagage *n. m.* baggage, piece of baggage, luggage

Bahia Blanca *npr.* Bahia Blanca
(*city in Argentina, about 375 miles
southwest of Buenos Aires*)

baie *n. f.* bay, gulf

baigner *v.* bathe, steep, welter

bâiller *v.* yawn

bain *n. m.* bath, medium, solution

baisse *n. f.* decrease, falling off,
lowering; — de régime decrease
of speed (of motor)

baisser *v.* fall, lower, sink; — de
régime, run slower *or* slow down
(*of a motor*)

balancement *n. m.* rocking, swing-
ing

balancer *v.* rock, swing, wave;
se — oscillate, quiver, swing
back and forth (*intr.*)

balayer *v.* sweep (away)

balisage *n. m.* beacon; series of
beacons outlining airport

balle *n. f.* ball, bullet; sous les —s
under fire

ballotter *v.* toss about

bander *v.* make taut *or* tense

banque *n. f.* bank

barque *n. f.* barge, (small) boat

bas *adv.* low; *see* là

bas, -sse *adj.* low; *see* voix

basculer *v.* rock, swing

base *n. f.* base, foot (of mountain)

bataille *n. f.* battle, fight; *see*
livrer

bâtir *v.* build, construct

bâtisseur *n. m.* builder

battant *adj.* beating

battre *v.* beat, thump

baudruche *n. f.* (toy) balloon

beau, belle *adj.* beautiful, fine,
grand, handsome; clear *or* fair
(*of weather*); *see* faire

beaucoup *adv.* much

bélier *n. m.* ram, battering-ram

berger *n. m.* shepherd

besogne *n. f.* job, matter, task

besoin *n. m.* need; *see* avoir

bête *n. f.* animal, beast

bêtise *n. f.* foolish thing; faire une
immense — act extremely fool-
ishly, "be a perfect jackass"

béton *n. m.* concrete, mortar

bien *adv.* all right, correctly, indeed, much, quite, very, (very)
well; eh — well?, well!, why;
— ou mal one way or another;
— sûr of course; *see* être, marcher, ou

bien *n. m.* property, wealth

bienheureux, -euse *adj.* happy,
blissful

bientôt *adv.* soon

bijou *n. m.* jewel

bilan *n. m.* balance sheet

bizarrement *adv.* oddly, queerly

blague *n. f.* pouch, tobacco pouch,
"trick"; *see* faire

blanc, -nche *adj.* white; *see* nuit,
passer, provision

blé *n. m.* wheat, wheat field

blessé *adj.* wounded; *see* chair

bleu *adj.* blue

bleui *adj.* made blue, tinged with
blue

bloqué *adj.* blockaded, cut off

bloquer *v.* inclose, send direct, ship

blouse *n. f.* blouse, smock

boire *v.* drink

bois *n. m.* wood

bombarder *v.* bombard, drop bombs

bon, bonne *adj.* good, proper, right; *see* **dieu, quoi**

bonheur *n. m.* happiness

bonhomme *n. m.* chap, fellow

bord *n. m.* bank (*of stream*), brink, edge, shore; **de — ** on board; **du même —** of the same crew, of the same type (*freely*); **feux de —** *same as* **feux de position**, *see* **position**; **lampe de —** cockpit light

bordereau *n. m.* account, memorandum

borner *v.* confine, limit

botte *n. f.* boot

bouche *n. f.* mouth, exit, outlet

bouché *adj.* cloudy (*weather*), cut off, stopped up

boucler *v.* buckle, fasten

boue *n. f.* mud, sediment

bouger *v.* budge, move, stir

bouquet *n. m.* bouquet, nosegay, spray (of flowers)

bourdonnement *n. m.* buzzing, murmur

bourgade *n. f.* large straggling village, (small) town

bourgeois *n. m.* bourgeois, citizen, townsman

bousculer *v.* jostle

boussole *n. f.* compass; **à la —** by compass, flying blind

bout *n. m.* end

boutade *n. f.* hasty sally, (sarcastic) jest *or* remark

branche *n. f.* branch

brancher *v.* turn *or* switch (a telephone call)

bras *n. m.* arm; *see* **croisé, tendu**

brave *adj.* fine *or* good (*before noun*), brave (*after noun*)

Brésil *npr.* Brazil

brillant *adj.* brilliant, bright

briller *v.* glisten, shine

brise *n. f.* breeze

briser *v.* break, crush, destroy

brouiller *v.* upset, throw into confusion, cover (with cloud of mist *or* steam)

brousse *n. f.* brush-covered waste, wilderness

brouter *v.* browse (on)

bruit *n. m.* noise, sound

brume *n. f.* haze, mist, (light) fog

brusque *adj.* abrupt, hasty, sudden

brusquement *adv.* abruptly, suddenly

brutalement *adv.* brutally, rudely

Buenos-Ayres *npr.* Buenos Aires (*capital of Argentine Republic*)

bulletin *n. m.* bulletin, official report

bureau *n. m.* desk, office; *see* **exploitation**

but *n. m.* goal, thing aimed at, target; **sans —** aimless *or* aimlessly

C

cabine *n. f.* booth, cabin

câble *n. m.* cable

cacher *v.* hide; **se — de . . .** keep . . . a secret, make a secret of . . .

cadran *n. m.* dial

café *n. m.* café, coffee, coffeehouse, cup of coffee

cahier *n. m.* notebook, register

caillou *n. m.* pebble

calcul *n. m.* calculation, reckoning

calculer *v.* calculate, reckon

calembour *n. m.* pun

calme *n. m.* calm, stillness, tranquillity

calme *adj.* calm, steady

calmer *v.* calm, quiet

camarade *n. m.* comrade, "chum"

cap *n. m.* head, prow; *see* **mettre**

capitale *n. f.* capital, chief city

capot *n. m.* hood (*of airplane, of automobile*)

capter *v.* catch (*wireless message*), "pick up"

car *conj.* because, for

caractère *n. m.* character, nature

caréné *adj.* not hollow-chested, robust

caressant *adj.* affectionate, caressing, coaxing

caresse *n. f.* caress

caresser *v.* caress, fondle, foster

carlingue *n. f.* cockpit (*of airplane*)

carré *adj.* square

carte *n. f.* card, map; — **murale** wall map

cas *n. m.* case; — **de force majeure** case of impossibilities; **en** — **de** in case of

Casablanca *npr.* Casablanca (*seaport of Morocco about 225 miles southwest of Gibraltar*)

casser *v.* break, smash; — **la figure à quelqu'un** smash somebody's face (in)

cause *n. f.* case, cause, party; **à** — **de** on account of, due to; *see* **connaissance**

cave *n. f.* cellar, vault; *contrast* **caverne**

caverne *n. f.* cave, cavern

ceinture *n. f.* belt, girdle

cent *num.* hundred

cependant *adv.* (in) the meanwhile

cercle *n. m.* circle

cerner *v.* beset, encircle, hem round

certain *adj.* certain, sure (*after n.*)

certes *adv.* indeed, surely

cesser *v.* cease; — **de** *with inf.* cease *with pres. part.*

chacun, -e *pro.* each, each one

chagrin *n. m.* care, grief, suffering; *see* **avoir**

chaîne *n. f.* chain; *see* **faire**

chair *n. f.* flesh, meat, pulp (*fruit*);

d'une — **blessée** caused or forced by a heart pang

chaland *n. m.* barge, lighter

chaleur *n. f.* heat, warmth

chambre *n. f.* room; — **d'hôtel** hotel room

champ *n. m.* field

chance *n. f.* chance, hazard, luck, risk

changement *n. m.* change, difference

changer *v.* change; — **de** change, exchange, substitute

chant *n. m.* dirge, melody, song, sound

chapeau *n. m.* hat

chaque *adj.* each

charge *n. f.* cargo, load

chargement *n. m.* load, loading

charger *v.* charge, fill, load; — **de** fill with

château *n. m.* castle, mansion, palace

châtier *v.* chastise, punish

chaud *adj.* hot, warm

chauffer *v.* heat, overheat (*motor*)

chef *n. m.* chief, head clerk (*in office*), leader

chemin *n. m.* road; — **de fer** railroad

chemise *n. f.* shirt

cher, chère *adj.* beloved, dear

cher *adv.* dear, dearly; *see* **donner**

chercher *v.* look for, look up, seek

cheval *n. m.* horse, horsepower

chevelure *n. f.* hair, tresses, foliage; — **serrée** abundant foliage *or* tresses

cheveu *n. m.* hair

chevrier *n. m.* goatherd

chez *prep.* at *or* to the house of, at *or* to the shop of; *see* **rentrer**

chiffonné *adj.* crumpled, rumpled

chiffre *n. m.* figure, number

Chili *npr.* Chile

chimiste *n. m.* chemist

choisir v. choose, have a choice, make one's choice

choix n. m. choice

choquer v. displease, shock

chose n. f. thing

ciel n. m. heaven, sky; — **pur** clear sky, "sky clear"; — **(trois quarts, quatre quarts) couvert** sky (three-fourths, completely) cloudy

ciment n. m. cement, concrete

cinéma n. m. motion-picture theater

cinq num. five

cinquante num. fifty; see **avoir**

circuit n. m. circuit, wiring

circuler v. circulate, move about

cire n. f. wax

citation n. f. quotation

cité n. f. city, walled or fortified city

citer v. cite, quote

civilisation n. f. civilization

clair n. m. light

clair adj. bright, clear

clairière n. f. clearing, clear space or stretch

clarté n. f. brightness, light; **faible** — dim light

cligner v. blink, wink; see **faire**

cliqueter v. click

cliquetis n. m. clicking

clos adj. closed; — **de** completely surrounded by

cœur n. m. heart; **serrement de** — shrinking or sinking (of the heart); **le** — **serré** with a heavy heart

coin n. m. corner, nook, recess

colère n. f. anger, fury, rage, wrath

colline n. f. hill

colonne n. f. column

colorer v. color, tinge, tint

combat n. m. battle, combat, struggle

combattant n. m. combatant, soldier

combattre v. combat, oppose

combien adv. how much or many

combler v. fill to the brim, fill up

commande n. f. control (lever), cable or rod (connecting lever with part of machinery it controls)

commander v. command (somebody), order (something); — **quelque chose à quelqu'un** order something from somebody, order somebody to do something

comme conj. as, as if, so to speak

comme adv. how

commencer v. begin

comment adv. how

commercial adj. commercial

Commodoro (Rivadavia) npr. Comodoro Rivadavia (seaport of Argentina, about 900 miles southwest of Buenos Aires)

communiquer v. communicate, give; — **quelque chose à quelqu'un** acquaint somebody with something

compagne n. f. companion, consort

compagnie n. f. company; **en** — with others; **en** — **de** in the company of, together with, with

compagnon n. m. companion, fellow, "chap," mate

compas n. m. compass, compasses, dividers; see **ouverture**

compétence n. f. ability, capacity, competency

complet n. m. full complement (of military unit); **au grand** — all present, without a single one absent

comprendre v. understand

comptabilité n. f. accounts (plur.)

compter v. count

compulser v. go over, look through, run over (notes)

condamner v. condemn, doom

conducteur n. m. director, leader, conductor (wire conducting electric current)

conduire v. conduct, drive, lead, take

conférence n. f. conference, interview

confesser v. confess

confession n. f. confession

confidence n. f. secret; (*English* confidence *is expressed by French* **confiance** f.)

conflit n. m. clash, conflict; **en —** at war

confondre v. confound, confuse

confus adj. confused, vague

congédier v. discharge, dismiss

connaissance n. f. acquaintance, complete knowledge; **en — de cause** with thorough knowledge of the subject, knowingly, advisedly

connaître v. be acquainted with, discern, feel, know; **n'y rien —** know *or* understand nothing about it

connexion n. f. connection

conquérant n. m. conqueror

conquérir v. conquer, win

conquête n. f. conquest; *see* **partir**

conscience n. f. conscience, consciousness; **— noire** uneasy *or* not clear conscience; *see* **avoir**

conseil n. m. advice, bit of advice, instruction

conserver v. keep, maintain, preserve

considérable adj. considerable, great, mighty

considérer v. consider, look at, study

consolation n. f. consolation, solace

consoler v. console; **— de** console for

constater v. ascertain, discover

constellation n. f. constellation, group (of stars *or* lights)

consterner v. dismay, strike with dismay

construction n. f. construction; **en —** under construction

construire v. build, construct

contact n. m. contact, (electric) switch; *see* **entrer**

contenance n. f. bearing, countenance; **par —** to keep in countenance, save appearances

contenir v. contain, cover

content adj. content, satisfied

contentement n. m. contentment, satisfaction

contenter v. satisfy; **se — de** be satisfied with

continu adj. continuous, uninterrupted

continuer v. continue, go ahead, go on

contourner v. go around

contraindre v. compel, constrain, force

contre prep. against; *see* **par, revenir**

contredire v. contradict

contremaître n. m. foreman, master mechanic

contre-marche n. m. countermarch, countermovement

contribuer v. be conducive, contribute, tend

contrôler v. check, verify

convalescence n. f. convalescence; **entrer en —** begin to convalesce

convenu adj. agreed, settled

conversation n. f. conversation

convoquer v. call (together), summon

corde n. f. rope, (life) line

cordillière n. f. chain of mountains (*sometimes used for* **Cordillière des Andes,** Andes)

cordon n. m. cord, twine

corporation n. f. body, corporation, force (*group*)

corps n. m. body, corpse

correction n. f. correction, rectification, allowance for drift (*of an airplane in flight*)

corriger *v.* amend, correct; — **les remous** correct the drift (*of plane*) due to squalls

corvée *n. f.* duty, service, task (difficult *or* disagreeable *understood with all three*)

côté *n. m.* side; **du** — **de** near, in the vicinity of, in the direction of; **de tous les** —**s** on all sides, from all directions

coucher *v.* lay down, put to bed, spend the night

coucher *n. m.* going to bed, bedtime; — **du soleil** sunset

coude *n. m.* elbow; *see* **jouer**

couler *v.* flow, glide, run (*of water*)

couleur *n. f.* color

coup *n. m.* blow, stroke, throb; **à** — **sûr** to a certainty, without fail; **d'un seul** — in a moment, in a twinkling; **tout à** — *or* **tout d'un** — suddenly; — **d'œil** glance

couper *v.* cut, cut off

courage *n. m.* courage, valor

courageux, -euse *adj.* brave, courageous

courant *n. m.* current, stream

courbature *n. f.* stiffness, sore joint (*of body*)

courbé *adj.* bent

courber *v.* bend, bow

coureur *n. m.* runner, (*running*) messenger

courir *v.* run

courrier *n. m.* courier, mail, flight with mail, pilot (of airplane carrying mail)

cours *n. m.* course, trend; **au** — **de** in the course of, during, in the process of; *see* **avoir**

court *adj.* brief, short

coûter *v.* cost

coutume *n. f.* custom, habit

couvert *adj.* covered, cloudy; *see* **ciel**

couverture *n. f.* cover, blanket

couvrir *v.* cover, protect, shield

craindre *v.* fear

crainte *n. f.* fear

cramponner *v.* cramp; **se** — **à** cling, hold fast on

créer *v.* create, make

crête *n. f.* brow, crest, ridge

creuser *v.* cut, dig, plow

cri *n. m.* cry, scream, shriek; *see* **jeter**

cristal *n. m.* crystal, glass

critiquer *v.* criticize

croire *v.* believe; *with inf.* believe to be *with pres. part.*

croisé *adj.* crossed, folded; **les bras** —**s** (with) one's arms folded

croiser *v.* cross, fold, pass (*going in the opposite direction*)

croître *v.* grow, increase

crouler *v.* collapse, crumble, fall in, fall to pieces, go to ruin

croupe *n. f.* rump, hind-quarter; **en** — mounted behind the saddle

cuir *n. m.* leather, flying togs

cuivre *n. m.* copper, (instrument of) copper

culbuter *v.* upset, pitch, tumble

culte *n. m.* adoration, cult, worship

curieux, -euse *adj.* curious, odd, strange

cyclone *n. m.* cyclone, tornado

D

daigner *v.* condescend, deign

Dakar *npr.* Dakar (*city on western coast of Africa; African terminus of Africa–South America air-mail route*)

danger *n. m.* danger, peril

dangereusement *adv.* dangerously, perilously

dangereux, -euse *adj.* dangerous, perilous

dans *prep.* in; *with expression of time* in, at the end of

danser *v.* dance

dater *v.* date

davantage *adv.* more

de *prep.* of, from, with, by; — . . . en . . . from . . . to . . . ; *see* plus

déballer *v.* open, unpack

débarquer *v.* disembark, unload, land (*tr. and intr.*)

débattre *v.* argue (*tr.*); se — strive, struggle

déboire *n. m.* disappointment, mortification

débonnaire *adj.* easy, good-natured

débouché *n. m.* opening, outlet

déboucher *v.* open, uncork, emerge

déboulonné *adj.* unriveted

debout *adv.* standing

débrouiller *v.* disentangle, unravel; se — get along as best one can, get out of a "fix"

début *n. m.* beginning

décharge *n. f.* (electrical) discharge

décharger *v.* unload

déchéance *n. f.* failure, fall, forfeiture

déchirer *v.* tear, tear up

déchirure *n. f.* break, rent, rift

décider *v.* decide, determine (to do); se — make up one's mind

décision *n. f.* decision, resolution

décoller *v.* undo, take off (*airplane*)

décommander *v.* cancel (*an order*), countermand

décor *n. m.* decoration, scene, setting

découpé (sur) *adj.* standing out (against)

découvert *adj.* open, uncovered, clear (*sky*)

découvrir *v.* detect, discover, show, uncover

décrire *v.* describe

décrocher *v.* unhook, take down *or* off (*from a hook*)

dédain *n. m.* disdain, scorn

défaillance *n. f.* failing, lapse, weakness

défaite *n. f.* defeat

défaut *n. m.* break, defeat, flaw; à — de for lack *or* want of

défectueux, -euse *adj.* defective, imperfect

défendre *v.* defend, protect

défenseur *n. m.* defender

définitif, -tive *adj.* definitive, real

dégagé *adj.* graceful, unhampered; clear (*of sky*)

dégager *v.* disengage, establish, find; se — (de) break loose (from), be released (from), spring (from)

degré *n. m.* degree

déguiser *v.* disguise, hide

dehors *adv.* outside; en — de outside (*prep.*)

dehors *n. m.* exterior, outside world; au — outside (*adv.*)

déjà *adv.* already

delà *prep.* beyond; au — de beyond

délicat *adj.* delicate, sensitive

délices *n. f. plur.* delights, joys

délivrer *v.* deliver, free, relieve; se — de rid oneself of, send in (*messages, reports*)

demain *adv.* tomorrow; de — future (*adj.*)

demander *v.* ask (for), demand; — quelque chose à quelqu'un ask somebody for something; — à *with inf.* seek to *or* ask permission to

démenti *n. m.* contradiction, proof to the contrary

demeurer *v.* live, remain, stay

demi-boutade *n. f.* half-jest, remark not fully meant as sarcasm

demi-heure *n. f.* half hour

demi-tour *n. m.* about-face, half-turn, turning

démontage *n. m.* taking down or to pieces

dénoncer *v.* denounce, expose, point out

dénouer *v.* loose, untie

dense *adj.* dense, thick

densité *n. f.* density, opaqueness

dent *n. f.* tooth; **les —s serrées** with teeth gritting

dépannage *n. m.* repair and recovery (*of airplane forced to land by motor trouble*)

départ *n. m.* departure, take-off; *see* **donner**

dépasser *v.* exceed, go or come beyond, transcend

déplacer *v.* displace, shift (*tr.*); **se — shift** (*intr.*)

déplier *v.* unfold

déployer *v.* exert, expand, manifest, show

déposer *v.* lay aside, put down

depuis *prep.* for, from, since; **— que** (*conj.*) since (*of time only*)

depuis *adv.* later, since then

déranger *v.* disturb, trouble

dériver *v.* drift, go off one's course

dernier, -ière *adj.* last *in complete series* (*before noun*), last *in incomplete series* (*after noun*), extreme; *see* **heure**

dérobé *adj.* hidden, private; **à la —e** slyly, stealthily

déroute *n. f.* defeat, rout, ruin

derrière *prep.* behind

dès *prep.* from, immediately upon (*time*), since; **— que** (*conj.*) as soon as

désaffecté *adj.* no longer in use or operation, abandoned

désarmé *adj.* disarmed, helpless

désarroi *n. m.* confusion, disorder

désastre *n. m.* disaster

désavouer *v.* disavow, disclaim

descendre *v.* come down, descend, get down, get out, go down, let down (*tr.*), lower (*tr.*)

descente *n. f.* declivity, descent

désert *adj.* desert, deserted

désert *n. m.* desert

déserter *v.* desert, leave

désespéré *adj.* despairing, in desperation

désespoir *n. m.* despair

déshumanisé *adj.* bereft of or lacking humanity

désigner *v.* indicate, point out

désir *n. m.* desire, longing

désirer *v.* desire, want, wish; **il eût désiré vivre ici,** he would have enjoyed living here

désordre *n. m.* confusion, disorder

désormais *adv.* henceforth, from this or that time on

desserrer *v.* unclasp, unlock

dessiner *v.* delineate, design, draw, set off, show

dessus *n. m.* top; *see* **prendre**

destiné *adj.* destined, intended

destinée *n. f.* destiny, fate

destruction *n. f.* destruction

détacher *v.* break off (*tr.*), unfasten; **se — break off** (*intr.*), leave

détente *n. f.* calm, relaxation, relief (of tension)

détour *n. m.* circuit, way round

détourner *v.* divert, turn, turn away

détresse *n. f.* anguish, distress

détroit *n. m.* strait; *see* **Magellan**

détruire *v.* destroy

détruit *adj.* destroyed

deuil *n. m.* bereavement, mourning

deux *num.* two; *see* **heure**

devancer *v.* get ahead of, steal a march on

devant *prep.* ahead of, before (*of place only*), in front of

dévasté *adj.* devastated, laid waste

développer *v.* develop (*tr.*), spread (*tr.*); se — develop (*intr.*), spread (*intr.*)

devenir *v.* become

deviner *v.* divine, guess

devoir *n. m.* duty, moral obligation

devoir *v.* owe; — *with inf.* be obliged to, must (*obligation or probability*), ought

dévorer, *v.* devour, prey upon

dévoué *adj.* devoted

dévouement *n. m.* devotion

dieu *n. m.* god; **mon Dieu** dear me!; **bon Dieu** Great God!, damn it!

différent *adj.* different

difficile *adj.* difficult

difficulté *n. f.* difficulty

digne *adj.* dignified, worth

dignité *n. f.* dignity

digue *n. f.* dike, embankment, mole

dilapider *v.* dilapidate, squander, waste

diluer *v.* dilute

diminuer *v.* diminish, grow less, make smaller

dîner *v.* dine, have dinner

dîner *n. m.* dinner, repast

dire *v.* say, tell; — **à une personne de** *with inf.* tell *or* order somebody to *with v.;* **à vrai** — to tell the truth

directeur *n. m.* director, manager

direction *n. f.* direction, headquarters, management

diriger *v.* direct; se — **vers** go toward

disciplinaire *adj.* disciplinary, of discipline; *see* **mesure**

discret, -crète *adj.* cautious, discreet

disgrâce *n. f.* misfortune, ungainliness; rejection (*of somebody or something formerly regarded with favor*)

disparaître *v.* disappear

disparition *n. f.* disappearance

disparu *adj.* disappeared, missing

dispenser *v.* dispense; — **quelqu'un de quelque chose** exempt somebody from something, save *or* spare somebody something

disposer *v.* ordain, settle; — **de** be master of

dissident *adj.* dissenting, dissident, unfriendly

dissiper *v.* scatter; se — vanish

distinguer *v.* distinguish, single out; — **une chose d'une autre** tell one thing from another

distraitement *adv.* absent-mindedly

distribution *n. f.* delivery, distribution; *see* **tableau**

divers *adj.* several *or* various (*before noun*), varying *or* different (*after noun*)

divin *adj.* celestial, divine, heavenly

diviser *v.* divide, separate

dix *num.* ten

dix-neuf *num.* nineteen; *see* **heure**

document *n. m.* document

doigt *n. m.* finger; *see* **promener**

domestique *adj.* domestic, family, home (*adj.*)

dominer *v.* control, dominate, command a view of

donc *adv.* then, therefore; just (*with imperative*)

donner *v.* give, turn on (*water, light*); — **le départ à** dispatch; — **cher** give much *or* a lot; — **sur** open into, look out on (*window*); — **tort à quelqu'un** condemn somebody, judge somebody wrong; *see* **réserve**

doré *adj.* golden

dormir *v.* sleep

dos *n. m.* back

dossier *n. m.* brief, "dossier," file

double *adj.* double

doucement *adv.* gently, lightly, softly

douceur *n. f.* delight, pleasantness, gentleness, softness, sweetness

douleur *n. f.* pain

doute *n. m.* doubt

douter *v.* doubt; — de doubt something; *see* rôle

doux, douce *adj.* gentle, pleasant, sweet

dramatique *adj.* dramatic

drame *n. m.* tragic *or* somber play, tragedy (*event or experience, not a dramatic form*)

dresser *v.* erect, prepare, set up; se — rise, stand up

droit *n. m.* right

droit *adj.* right, straight, upright, plumb (*of a wall*); à (main) —e to *or* on the right; de (main) —e on the right

droit *adv.* straight (ahead, up *or* down)

drôle *adj.* droll, funny, queer, strange

drosser *v.* take (a ship) off the course

dru *adj.* lusty, sturdy, thick

duper *v.* deceive, dupe, trick

dur *adj.* difficult, hard, severe; *see* tenir

durable *adj.* durable, lasting

durement *adv.* harshly, hard, rudely

durer *v.* last

dureté *n. f.* cruelty, hardness, harshness

dynamo *n. f.* dynamo

E

eau *n. f.* water; eaux (*plur.*) streams

ébaucher *v.* outline, shape, sketch

éblouir *v.* dazzle

éboulement *n. m.* cave-in, landslide

ébranler *v.* move, shake

écarter *v.* put aside, thrust back

échanger *v.* exchange

échappement *n. m.* escapement, exhaust (*of a motor*)

échapper *v.* escape, get away; — à escape *or* get away from

échec *n. m.* failure, mishap

échelonner *v.* draw up (*troops*); s'— be established at intervals

écho *n. m.* echo

échouer *v.* fail, fall through; run aground *or* strand (*a ship*); s'— be grounded, run one's ship aground

éclair *n. m.* (flash of) lightning

éclairant *adj.* lighting, for lighting; *see* fusée

éclaircie *n. f.* break *or* clearing up (*of clouds*)

éclairer *v.* cast light on, light, make clear; s'— flare up, be lighted up

éclipse *n. f.* eclipse; *see* phare

écœurant *adj.* sickening

écoulé *adj.* disposed of, past, spent

écouler *v.* dispose of; s'— run out, slip away *or* by, pass (*of time*)

écoute *n. f.* listening place; *see* poste

écouter *v.* listen (to)

écouteur *n. m.* listener, earphone, receiver (*telephone*)

écraser *v.* crush, defeat, overcome

écrire *v.* write; *see* machine

eczéma *n. m.* eczema

effacer *v.* blot out, efface, erase, obliterate, smooth

effleurer *v.* graze, touch slightly

effort *n. m.* effort, expenditure of energy

effrayer *v.* frighten, terrify; s'— be *or* become frightened, terrified

effroyable *adj.* horrifying, terrible

égal *adj.* all one, equal, even, indifferent

égalité *n. f.* equality, evenness

égoïste *adj.* selfish

égrener *v.* shell, tell *or* unstring (*beads or pearls*)

eh *interj.* ah!, eh!; *see* bien

électrique *adj.* electric, electrical; *see* tableau

élément *n. m.* element, part

élever *v.* raise; s'— rise

emboutir *v.* crash

embrasser *v.* embrace, kiss

embrouiller *v.* confuse; s'— become confused

émerger *v.* emerge

émotion *n. f.* emotion

émouvant *adj.* moving, touching

émouvoir *v.* move (*tr.*); s'— be roused, be moved, stir (*intr.*)

empêcher *v.* prevent

empêtrer *v.* bother, hamper

empire *n. m.* empire, realm

emplir *v.* fill, suffuse

emploi *n. m.* employment, use

employé *n. m.* employee, clerk

emporter *v.* bear (off), carry (away), eliminate, take (away); l'— win (the struggle *or* day), triumph

en *prep.* as, in, into, like; de . . . — . . . from . . . to . . . ; — *with pres. part.* by *with pres. part.;* — *with expression of time* in, within; *see* avant, connaissance, dehors, mer, plus

enclume *n. f.* anvil

encore *adv.* again, still, yet

endormi *adj.* asleep, dormant, numbed

enfance *n. f.* infancy, childhood

enfant *n. m.* child

enfermer *v.* confine, enclose, envelop, shut up

enfin *adv.* at last, finally

enflammer *v.* kindle, set ablaze; s'— burst into flame

enfoncé *adj.* sunk

enfoncer *v.* sink (*tr.*), thrust down; s'— sink (*intr.*), penetrate, be lost (*ship, airplane*)

enfouir *v.* hide, bury; — la tête dans benu *or* lean down into

engager *v.* engage, induce

engloutir *v.* ingulf, gulp down

engourdir *v.* benumb, deaden, dull

s'enliser *v.* sink (*into quicksand*)

ennemi *n. m.* enemy, opponent

ennemi *adj.* adverse, hostile

ennui *n. m.* annoyance, care, tedium

ennuyer *v.* bore, tire

ennuyeux, -euse *adj.* annoying, tedious

enrichir *v.* adorn, enrich; — de set *or* stud with (*precious stones*)

enseignement *n. m.* instruction, lesson

enseigner *v.* teach

enseveli *adj.* buried

ensevelir *v.* bury, swallow up

ensuite *adv.* afterward, later, then

entendre *v.* hear, understand; — parler de hear (tell) of; s'— hear each other's voices; s'— avec communicate with, agree with

entêtement *n. m.* stubbornness

entier, -tière *adj.* entire, whole

entouré *adj.* surrounded

entourer *v.* surround; — de surround with

entraîner *v.* bear, bring, carry along, lead (along), train

entre *prep.* among, between; d'— of, from among

entrée *n. f.* entrance

entrer *v.* enter; — en contact get into touch, communicate; *see* convalescence

entretien *n. m.* keeping in repair, maintenance

entrevoir *v.* catch a glimpse of, see (for a brief moment)

entrevu *adj.* caught sight of, glimpsed, seen (for a brief moment)

entr'ouvert *adj.* half-open, turned back (*of a bed-sheet*)

entr'ouvrir *v.* half open, open slightly; **s'—** open slightly (*intr.*)

envahir *v.* come over, invade

envelopper *v.* envelop, wrap up

envers *prep.* toward, to

environs *n. m. plur.* environs, vicinity

envoyer *v.* send; *see* **promener**

épais, -isse *adj.* big, bulky, dark (*atmosphere*), thick

épaisseur *n. f.* densest darkness, distance *or* stretch (*freely*), thickness (*literally*)

épargner *v.* save, spare; **—** **quelque chose à quelqu'un** spare *or* save somebody something

épaule *n. f.* shoulder; *see* **avoir**

épauler *v.* lift *or* take on one's shoulders

épave *n. f.* bit of wreckage; **—s** (*plur.*) wreckage

épigraphe *n. f.* epigraph, motto

éponger *v.* sponge; **s'—** mop *or* wipe (perspiration from) one's brow

épopée *n. f.* epic

épreuve *n. f.* ordeal, test, trial

éprouver *v.* experience, feel, test

épuisé *adj.* exhausted, used up

équilibre *n. m.* balance, equilibrium

équipage *n. m.* crew

équipe *n. f.* crew, gang (*of workmen*), team (*of athletes*)

ère *n. f.* epoch, era, period (*of time*)

errer *v.* roam, wander

escale *n. f.* airport, port (of call *for air mail*), stop (*in port*)

espace *n. m.* space; **— mort** lifeless *or* uneventful space

espèce *n. f.* kind, race, species

espérance *n. f.* confidence, hope, trust

espérer *v.* expect, hope (for)

espoir *n. m.* hope

essayer *v.* attempt, try

essence *n. f.* gasoline

essentiel, -elle *adj.* elemental, essential

essuyer *v.* wipe (away)

est *n. m.* east

estimer *v.* esteem, estimate, think

et *conj.* and; **— ... — ...** both ... and ...

établir *v.* establish, impose, set up

étaler *v.* display, lay out

étang *n. m.* pond, pool

état *n. m.* condition, state

éteindre *v.* extinguish, put out; **s'—** be extinguished, go out, die away (*of voice*)

étendre *v.* extend (*tr.*), spread, stretch; **s'—** extend (*intr.*)

étendu *adj.* extensive, wide-reaching

éternel, -elle *adj.* eternal, everlasting

éternellement *adv.* always, eternally

éternité *n. f.* eternity

étincelle *n. f.* spark, shock (*of electricity*)

étirer *v.* stretch (*tr.*); **s'—** stretch (*intr.*)

étoffe *n. f.* cloth, fabric, stuff

étoile *n. f.* star

étonnant *adj.* astonishing, surprising

étonnement *n. m.* amazement, astonishment

étonner *v.* astonish, astound; **s'— de** be astonished at *with n.*, be astonished to *with v.*

étrange *adj.* strange, uncouth

étranger, -gère *adj.* foreign (*contrast with* **étrange**)

étrave *n. f.* prow, stem (*of a ship*)

être *v.* be; s'en — *substitute for* s'en aller; — bien be comfortable; il en est ainsi it is so, it is that way; c'est à quelqu'un de *with inf.* it is somebody's business to, it is "up to somebody" to; *see* que

étroit *adj.* narrow

euh *interj.* hum (*non-committal*)

Europe *npr.* Europe

s'évanouir *v.* fade away, faint, pass away

évasion *n. f.* escape

éveiller *v.* evoke, rouse, waken

événement *n. m.* event, happening

évident *adj.* evident, obvious

éviter *v.* avoid, spare; — quelque chose à quelqu'un spare somebody something

exact *adj.* exact, precise

exactement *adv.* exactly, precisely

exactitude *n. f.* exactness, promptness, punctuality

exaltation *n. f.* excitement, glorification

examiner *v.* examine, "go over"

exceptionnel, -elle *adj.* exceptional, unusual

excessif, -sive *adj.* excessive, unreasonable

exclamation *n. f.* cry, exclamation

excuser *v.* excuse; s'— (de) offer excuses (for), apologize (for)

exécuter *v.* carry out, execute

exemple *n. m.* example

exiger *v.* demand, exact

exil *n. m.* exile

existence *n. f.* existence

exister *v.* exist

expédier *v.* dispatch, forward

expérience *n. f.* experience, experiment

expliquer *v.* explain

exploit *n. m.* achievement, exploit

exploitation *n. f.* development, working (*of farms, mines, railroads*); bureau d'— traffic department

exploration *n. f.* exploration

explorer *v.* explore, search

expression *n. f.* expression, look

exprimer *v.* denote, express

extérieur *adj.* exterior, outside

extraire *v.* extract, take

extraordinaire *adj.* extraordinary, unusual

extrême *adj.* beyond compare, excessive, extreme, furthest

extrémité *n. f.* close, end, extremity

F

fabuleux, -euse *adj.* fabulous, in fairy tales

face *n. f.* face, front, side; — à facing; en — de before, in front of

fâcher *v.* anger; se — get angry

faciliter *v.* facilitate, make easy

façon *n. f.* fashion, manner, way; à la — de in the manner of, like

façonner *v.* develop, fashion, form

fade *adj.* flat, insipid, tasteless

faible *adj.* dim, feeble, slight (*wind*), weak; *see* clarté

faiblesse *n. f.* failing, weakness

faiblir *v.* grow dim *or* weak

faim *n. f.* hunger; *see* avoir

faire *v.* commit, do, make, say; — *with inf.* cause, have *or* make *with inf.*; — une blague (à) play a trick (on); — la chaîne relay (a message from station to station); — demi-tour turn round *or* back; — mal à hurt; — le montage de assemble (*a machine*); — "oui" de la tête give an affirmative nod; — part à quelqu'un de quelque chose inform somebody of something; — partie de belong to; — un pas take a step; — preuve de give evidence of, show; — une promenade take a walk *or* stroll;

— **une rencontre** meet (someone) by chance, meet a peculiar situation; — **signe à** beckon to; — **un songe** dream a dream; — **le tour** go round, get around; **quel temps fait-il?** how is the weather?; **il fait beau** it is fair *or* clear; **il fait froid** it is cold; — **cligner** blink (*tr.*); — **naître** bring to life; — **sauter les primes** cut *or* cancel the bonus; **se** — **come** (on), take place, become, be made; **se** — **à** become accustomed to; **se** — **plaindre** have (somebody) pity oneself, arouse pity; *see* **bêtise, idée**

faisceau *n. m.* sheaf, cone (of light)

fait *n.* fact; *see* **tout**

falloir *v.* (*impersonal, third sing. only*); be necessary, be needed, must, take; — **à** be lacking, be needed

familier, -ière *adj.* familiar

famille *n. f.* family, family circle

fantaisie *n. f.* imagination, whim

fantôme *n. m.* ghost, phantom

fatalement *adv.* fatally, unavoidably (*because destined by fate*)

fatalité *n. f.* fatality

fatigue *n. f.* fatigue, weariness; *see* **rompu**

fausser *v.* distort, twist, warp

faute *n. f.* fault, mistake

fauteuil *n. m.* armchair, chair, desk chair

fauve *n. m.* wild beast

faux, fausse *adj.* false, untrue

faux *adv.* falsely, incorrectly

favorable *adj.* favorable

féliciter *v.* congratulate, felicitate

femme *n. f.* wife, woman

fenêtre *n. f.* window

fer *n. m.* iron

ferme *n. f.* farm house

fermé *adj.* closed, sullen (*of facial expression*)

fermenter *v.* be in state of fermentation, ferment

fermer *v.* close (*tr.*), shut (*tr.*); **se** — close (*intr.*), shut (*intr.*)

fervent *adj.* earnest, fervent

fête *n. f.* celebration, feast, merrymaking; **de** — festive, gay

feu *n. m.* fire, light; *see* **position**; —**x du bord** running lights

feuille *n. f.* leaf, sheet (of paper); *see* **route**

feuilleter *v.* leaf through, turn (pages of)

fiancée *n. f.* fiancée

fiche *n. f.* (switchboard) plug

fierté *n. f.* pride

fièvre *n. f.* fever

figure *n. f.* example, figure, face (*English* figure *meaning* bodily form *is* **taille** *n. f. in French*); *see* **casser**

figurer *v.* appear, figure

filet *n. m.* net

fille *n. f.* girl

fin *n. f.* end, goal, purpose

final *adj.* closing, final, last

finir *v.* end, finish; **en** — **de** *with inf.* have done *or* finished *with pres. part.*

fissure *n. f.* fissure, flaw

fixe *adj.* fixed, steady

fixer *v.* fix, rivet one's eyes on

flamme *n. f.* flame

flanc *n. m.* flank, side; — *or* **flancs** (*plur.*) womb

flèche *n. f.* arrow, dart

fléchissement *n. m.* bending, weakening

flétrir *v.* brand, disparage, stigmatize

fleur *n. f.* flower

fleuve *n. m.* river, stream

Florianopolis *npr.* Florianopolis (*seaport of Brazil, about 500 miles southwest of Rio de Janeiro*)

flot *n. m.* billow, wave

flotter *v.* float

flux *n. m.* flood *or* rising tide; **— et reflux** ebb and flow

foi *n. f.* faith

fois *n. f.* time (*in sequence*); **une —** once; **une — de plus** once again, again

fonction *n. f.* activity, function, office

fond *n. m.* bottom, (sandy) bottom (of the sea); **au — de soi-même** deep in oneself, in one's heart; *see* **lame**

fondre *v.* melt (*tr.*); **se —** melt (*intr.*)

fontaine *n. f.* fountain, source

force *n. f.* force, strength; **—s** (*plur.*) strength (*sing.*); *see* **cas**

forcer *v.* break *or* force (open)

forêt *n. f.* forest

forge *n. f.* blacksmith's shop, forge, smithy

forger *v.* forge, form, mold

forgeron *n. m.* blacksmith

forme *n. f.* figure, form

former *v.* form, make

formidable *adj.* dreadful, formidable

fort *adv.* very, much

fort *adj.* great, keen, powerful, strong

forteresse *n. f.* fortress, stronghold

fortifier *v.* fortify, strengthen

fortune *n. f.* fortune

fou, folle *adj.* crazy, mad

foule *n. f.* crowd

fourberie *n. f.* knavery, trickery

fournir *v.* furnish, submit

foyer *n. m.* blaze, hearth

fraîchir *v.* freshen, rise *or* blow fresh (*of wind*)

frais, -aîche *adj.* cool, fresh, clean (*of linen*)

franc, -nche *adj.* frank, open, sincere

franchir *v.* clear, cross, pass (over)

frapper *v.* strike, cast a gloom over, make an impression (on), knock (*at a door*)

fraternité *n. f.* brotherhood, fraternity

frémir *v.* shudder, tremble

frémissant *adj.* trembling, vibrant

frémissement *n. m.* shiver, tremor

fréquent *adj.* frequent

frère *n. m.* brother

fripé *adj.* rough, rumpled

frissoner *v.* shiver, shudder

froid *n. m.* cold; *see* **avoir**

froid *adj.* cold; *see* **faire**

frôler *v.* graze, just to touch

front *n. m.* forehead

frontière *n. f.* border, frontier

frotter *v.* rub

fruit *n. m.* fruit

fugitif, -tive *adj.* fleeting, fugitive, wandering

fuir *v.* flee

fumée *n. f.* smoke

funèbre *adj.* gloomy, mournful

fusée *n. f.* rocket; **— éclairante** (landing) rocket

futur *adj.* future

G

gâcher *v.* do carelessly, make a mess of, spoil

gagner *v.* earn, gain, reach, win

galop *n. m.* gallop, mad gallop *or* ride

gangue *n. f.* gangue, matrix, veinstone

garçon *n. m.* boy, lad

garde *n. f.* guard, watch; **de —** on guard, on the watch

garder *v.* guard, keep, keep on, maintain

gardien *n. m.* guard, guardian, keeper

gâté *adj.* spoiled, tainted

gâter *v.* get bad, mar, spoil, break up (*weather*)

gauche *adj.* left; vers la (main) — toward the left; à la (main) — on *or* to the left; de (main) — on the left

gaz *n. m.* gas; *see* manette

géant *adj.* gigantic

gênant *adj.* annoying, troublesome

gêne *n. f.* embarrassment, torment, torture

gêné *adj.* bothered, disturbed, uneasy

gêner *v.* annoy, disturb, hurt, pinch (*of a shoe*)

général *adj.* general, of the group *or* whole

général *n. m.* general

genou *n. m.* knee

gens *n. plur. m. or f.* people; honnêtes — "decent folk"

géologie *n. f.* geology

geste *n. m.* gesture

glace *n. f.* ice

glacé *adj.* glazed, glittering, iced

glisser *v.* glide, slide, slip

gloire *n. f.* fame, glory, renown

goût *n. m.* taste

gouverner *v.* control, direct, govern

grâce *n. f.* favor, grace, thanks

grand *adj.* grand, great; *see* complet

grandeur *n. f.* grandeur, greatness, immensity

grandir *v.* grow, increase; — vers lui increase in size on approaching him

granit *n. m.* granite

gras, -asse *adj.* fat, lush, rich

grave *adj.* grave, heavy, serious

gravement *adv.* gravely, seriously

gré *n. m.:* *see* savoir

grésillement *n. m.* crackling (noise), static

grifonner *v.* scrawl, scribble

grippage *n. m.* gripping, binding (*of bearing*)

gris *adj.* colorless, dull, gray

grondement *n. m.* droning, rumbling

gronder *v.* drone, roar, rumble

gros *adv.* a great deal, much; en — wholesale, in a general way

guère *adv.* scarcely; *see* ne

guerre *n. f.* war; *see* pays

guetter *v.* be on the lookout (for), watch (for)

gyroscope *n. m.* gyroscope

gyroscopique *adj.* gyroscopic, relating to gyroscope

H

habile *adj.* clever, skillful; — à *with inf.* skillful in *with pres. part.*

habiller *v.* clothe, cover, dress (*tr.*), envelop; s'— dress (*intr.*)

habiter *v.* inhabit, live in, tenant

haleine *n. f.* breath; en — in breathing, eager, straining at leash (*of dogs eager to hunt*)

* hangar *n. m.* hangar, shed

* harnais *n. m.* armor, fetter, harness

* hasard *n. m.* chance

* hasarder *v.* risk, venture

* hasardeux, -euse *adj.* dangerous, hazardous, risky

* hâter *v.* hasten (*tr.*), se — hasten (*intr.*)

* haussement *n. m.* raising, shrug (*of shoulders*); *see* avoir

* haut *adv.* high (up), tall; *see* là

* hauteur *n. f.* height

* hein *interj.* eh?, what?, you know!

hélice *n. f.* propeller, screw; moyeu d'— boss *or* hub of the propeller

herbe *n. f.* grass

héroïque *adj.* heroic

héroïsme *n. m.* heroism

* héros *n. m.* hero

hésiter v. hesitate

heure n. f. hour; **toutes les deux —s** every two hours; **dix —s du soir** ten o'clock in the evening; **deux —s** two o'clock; **deux —s dix** ten minutes after two; **une — du matin** one o'clock in the morning; **deux —s et quart** quarter past two o'clock; **quelle — est-il?** what time is it?; **une — et quart,** quarter past one; **dix-neuf —s trente,** seven-thirty in the evening; **une — quarante** twenty minutes to two; **à l'—** by the hour, an hour (*rate of speed*); **en dernière —** at the last minute; **à tout à l'—** I'll see *or* speak with you again soon

heureusement adv. fortunately, happily; *see* **utiliser**

heureux, -euse adj. fortunate, glad, happy, successful

* **heurter** v. hit, strike; **se —** strike (*intr.*), collide; **se — à** run against, meet

hier adv. yesterday

hiver n. m. winter

* **hocher** v. nod, shake, toss

homme n. m. man

honnête adj. honest, proper; *see* **gens**

* **honte** n. f. shame

horaire n. m. schedule, time-table

horizon n. m. horizon; **-gyroscopique** gyroscopic horizon, artificial horizon

horreur n. f. ghastliness, horror

* **hors** (*with or without* **de**) prep. except, out of, outside

hôtel n. m. hotel; *see* **chambre**

* **houle** n. f. surge, swell (*of the sea*)

* **housse** n. f. cover (*for furniture*)

huile n. f. oil; *see* **pompe, pression**

* **huit** num. eight; *see* **jour**

humain adj. human

humanité n. f. humanity

humble adj. humble, lowly, simple

humide adj. damp, humid

humilier v. humiliate, be humiliating (for)

humilité n. f. humility

I

ici adv. here; **d'— le jour** between now and dawn

idée n. m. idea, notion, thought; **dans son —** to his mind, in his opinion; **se faire une — de** form a concept of, have a notion of

ignorance n. f. ignorance

ignorer v. be ignorant of, not to know

île n. f. island, isle

illuminer v. illuminate, light up

image n. f. idea, image

imaginaire adj. fictitious, imaginary

imagination n. f. imagination

imaginer v. imagine, picture to oneself

imbécile adj. *and* n. imbecile, fool (*used as term of insult this word is much stronger in French than in English. Equivalent to "damned fool."*)

immense adj. enormous, great, immense

immensément adv. infinitely, immensely

immobile adj. immovable, motionless, stock-still, unmoving

immobilité n. f. listlessness, motionlessness; **sa seule —** its sheer listlessness

immuable adj. unchanging

impalpable adj. impalpable, intangible, unseen

impasse n. f. blind-alley, deadlock

impassible adj. impassible, unmoved

impénétrable *adj.* impenetrable, inscrutable

imperceptible *adj.* imperceptible, indiscernible

imperfection *n. f.* fault, imperfection

impitoyable *adj.* pitiless

implacable *adj.* implacable, relentless

importance *n. f.* importance, significance

important *adj.* considerable, important

importer *v.* be of importance; n'importe où no matter where, anywhere

importun *adj.* importunate, obtrusive, troublesome

imposer *v.* force, impose

impossible *adj.* impossible

impression *n. f.* impression

impuissant *adj.* ineffectual, powerless

inaccessible *adj.* inaccessible, unattainable

inaperçu *adj.* unnoticed, unseen

Inca *npr.* Inca (*inhabitant of Peru, conquered by Spanish*)

incendie *n. m.* conflagration, fire

incident *n. m.* happening, incident

incliné *adj.* bending, bent, leaning

incliner *v.* cause *or* make lean; s'— bend (*intr.*), lean (out)

incompréhensible *adj.* incomprehensible, inscrutable, unfathomable

inconnaissable *adj.* incognizable, unknowable

inconnu *adj.* unknown

inconvenant *adj.* improper, unconventional

indéchiffrable *adj.* undecipherable, unintelligible

indicateur *n. m.* indicator; — de position position indicator (*flying instrument*)

indifférent *adj.* all one, indifferent

indisponible *adj.* entailed, out of use, unavailable

individuel, -elle, *adj.* individual, personal

inépuisable *adj.* inexhaustible

inertie *n. f.* inactivity, inertia, suspense

inespérément *adv.* unexpectedly

inévitable *adj.* certain, inevitable, unavoidable

inexplicable *adj.* inexplicable, unaccountable

inexploré *adj.* unexplored

inexprimable *adj.* inexpressible, unutterable

inférieur *adj.* inferior, subordinate

s'infiltrer *v.* creep, infiltrate

infini *adj.* boundless, infinite

infiniment *adv.* infinitely

infirmité *n. f.* ill, infirmity, weakness

infliger *v.* impose, inflict; — quelque chose à quelqu'un inflict something on somebody

informer *v.* apprise, inform; s'— (de) ask *or* inquire (about)

ingénieur *n. m.* engineer

inhabité *adj.* deserted, uninhabited

inhumain *adj.* heartless, inhuman

inimitable *adj.* inimitable

injure *n. f.* insult; —s (*pl.*) abusive language; *see* lâcher

injuste *adj.* unfair, unjust

injustice *n. f.* injustice

inlassablement *adv.* tirelessly, without ceasing

innocent *adj.* harmless, innocent

inoffensif, -sive *adj.* harmless, inoffensive

inquiet, -iète *adj.* anxious, worried

inquiéter *v.* disquiet, worry; s'— be uneasy *or* worried

inquiétude *n. f.* anxiety, uneasiness

inscrire *n.* inscribe, mark

insensible *adj.* callous, hard-hearted, insensible, incapable of feeling (*mental or physical*)

insister *v.* insist, persist

insolent *adj.* arrogant, impudent, insolent

insolite *adj.* unprecedented, unusual

insomnie *n. f.* insomnia, wakefulness

inspecter *v.* inspect, survey

installer *v.* install, settle (*tr.*); s'— settle (*intr.*), take one's place

instant *n. m.* instant, moment; d'un — momentary, for a short time

instruction *n. f.* instruction

instruire *v.* instruct

instruit *adj.* informed, instructed

instrument *n. m.* instrument

insuffler *v.* impart, insufflate

insulter *v.* insult; — de *with inf.* insult *or* taunt for *or* with *with pres. part.*

intelligent *adj.* astute, bright, intelligent

interdiction *n. f.* interdiction; — à quelqu'un de *with inf.* somebody is positively forbidden *with inf.*

interdit *adj.* forbidden, prohibited

intérêt *n. m.* good, interest, welfare

intérieur *n. m.* interior

intérieur *adj.* inside, interior

interpréter *v.* interpret

intime *adj.* inmost, intimate

intimité *n. f.* intimacy

intrigue *n. f.* intrigue, plot (*especially of novel or play*)

introduire *v.* bring in, introduce, lead in; s'— force one's way in, get in

inusable *adj.* everlasting, inexhaustible

inutile *adj.* useless

inutilement *adv.* for no purpose, uselessly

invariablement *adv.* invariably, without fail

invasion *n. f.* invasion

invention *n. f.* discovery, invention

invisible *adj.* invisible

invitation *n. f.* invitation

inviter *v.* invite

invraisemblable *adj.* improbable, unlikely

ironie *n. f.* irony

irrésistible *adj.* irresistible

irritation *n. f.* annoyance, irritation, vexation

irrité *adj.* annoyed, irritated, vexed

isolement *n. m.* isolation

issue *n. f.* excape, exit, way out

ivre *adj.* drunk, ecstatic, transported

ivresse *n. f.* elation, intoxication, rapture

J

jaillir *v.* gush, spout up

jaloux, -ouse *adj.* jealous

jamais *adv.* ever, never; — plus never again; *see* ne

jardin *n. m.* garden

jardinier *n. m.* gardener

jeter *v.* cast, hurl, throw; — un cri raise a cry, utter a shriek

jeu *n. m.* game

jeune *adj.* young

joie *n. f.* joy, pleasure

joindre *v.* join (*tr.*), put together, reach; se — join (*intr.*), unite (*intr.*)

jouer *v.* play, stake, venture; — des coudes move one's elbows about, use one's elbows

jouet *n. m.* plaything, toy

jour *n. m.* day, daylight, light; de — en — from day to day, daily; de nos —s of our day, present day; huit —s a week; sous un certain — in a certain light; *see* ici

journal *n. m.* newspaper

journée *n. f.* day

joyeux, -euse *adj.* light-hearted, merry

juge *n. m.* judge

jugé *n. m.* (*in certain expressions only*): **le bien** — the correct sentence; **le mal** — the wrong sentence; **au** — at a guess

juger *v.* consider, form an opinion of, judge; — *with inf.* deem *or* suppose that

juron *n. m.* oath

jusqu'à *prep.* as far as, even, until, up to

juste *adj.* fair, just

justifier *v.* justify

K

kilomètre *n. m.* kilometer (*approximately* $\frac{5}{8}$ *of a mile*)

kiosque *n. m.* kiosk, stand; — **à musique** bandstand

L

là *adv.* there; —**-bas** yonder, down there; —**-haut** up there; **c'est** — that is (*much more emphatic than* **c'est** *and somewhat more emphatic than* **voilà**)

laboratoire *n. m.* laboratory

lâcher *v.* blurt out, let go, release; — **avec santé de bonnes injures** blurt out a string of abusive language

laideur *n. f.* plainness, ugliness

laisser *v.* leave, let; *see* **aller**

lait *n. m.* milk; *see* **lumière**

lame *n. f.* billow, wave; — **de fond** ground swell

lampe *n. f.* bulb, lamp, light; — **de secours** emergency lamp; *see* **bord**; — **de position** *same as* **feu de position**, *see* **position**

lancer *v.* fling, hurl, launch

langage *n. m.* language

large *adj.* broad, wide

large *n. m.* breadth; *see* **long**

largeur *n. f.* width

las, -asse *adj.* tired

lassitude *n. f.* lassitude, weariness

lave *n. f.* lava

lavé *adj.* bathed

léger, -ère *adj.* light, slight

lent *adj.* leisurely, slow

lentement *adv.* slowly

lettre *n. f.* letter

lever *v.* lift, raise; **se** — get up, rise

lèvre *n. f.* lip

liane *n. f.* bindweed, tendril

liasse *n. f.* bundle, file

liberté *n. f.* liberty, freedom

libre *adj.* free, with clearance (*of bearings*), loose; **ajuster plus** — fit with more clearance

lien *n. m.* bond, fetter, tie

lier *v.* bind; **se** — (**avec**) become friends (with)

lieu *n. m.* place; *see* **avoir**

ligne *n. f.* line, route

ligoter *v.* bind, truss up

limbes *n. m. plur.* limbo

limite *n. f.* limit

lion *n. m.* lion

liquider *v.* liquidate, wind up (*business*)

lire *v.* read

littéraire *adj.* literary

littérature *n. f.* literature

livre *n. m.* book

livrer *v.* deliver, give up, yield; — **une bataille** fight *or* wage a battle

local *adj.* local

loi *n. f.* law, rule

loin *adv.* far (away)

lointain *adj.* distant

long, -ngue *adj.* long

long *n. m.* length; **de** — **en large**

up and down, backward and forward; le — de along

longeron *n. m.* (longitudinal) beam (*usually two in each wing*)

longtemps *adv.* for a long time, long

lors de *prep.* at the time of

lorsque *conj.* when

lot *n. m.* allotment, lot, share

lourd *adj.* heavy, sultry (*weather*)

lourdeur *n. f.* clumsiness, weight

lueur *n. f.* gleam, glimmer, light

luire *v.* shine

luisant *adj.* bright, shining; *see* ver

lumière *n. f.* light; lait de — milky light; à la — de by the light of

lumineux, -euse *adj.* illuminated, luminous, shining, suffused with light

lune *n. f.* moon, moonlight

lutte *n. f.* battle, struggle; *see* mener

lutter *v.* fight, struggle, wrestle; — de vitesse avec compete *or* vie in speed with

lutteur *n. m.* wrestler, "campaigner"

luzerne *n. f.* lucerne grass, (field of) clover

M

machine *n. f.* machine; — à écrire typewriter

Magellan *npr.* Magellan (*Portuguese mariner, discovered Straits of Magellan in 1520*); détroit de — Straits of Magellan

magnétique *adj.* magnetic

maigre *adj.* gaunt, thin

main *n. f.* hand

maintenant *adv.* now

maintenir *v.* hold, maintain

mais *conj.* but, why (*mildly interjectional at beginning of sentence*)

maison *n. f.* dwelling, house, home

majesté *n. f.* majesty

majeur *adj.* greater, major; *see* cas

mal *adv.* badly; *see* bien, présenter

mal *n. m.* evil, mischief, misfortune, pain; *see* faire

malade *adj.* ill, sick

maladie *n. f.* illness, malady

malaise *n. m.* discomfort, uneasiness

malgré *prep.* in spite of

malheur *n. m.* misfortune, unhappiness

malheureusement *adv.* unfortunately

manette *n. f.* control, hand lever; — des gaz throttle

manger *v.* eat (up)

manifester *v.* manifest, show

manipuler *v.* handle, manipulate, operate (*tool or instrument*)

manœuvre *n. m.* (common *or* unskilled) workman

manœuvre *n. f.* maneuver, move

manomètre *n. m.* gauge, pressure gauge, manometer

manquer *v.* fail, miss, run short; — de quelque chose lack something

manteau *n. m.* cloak, mantle, topcoat

marche *n. f.* march, movement, progress, walk; en — approaching, on the march *or* way; *see* mettre

marcher *v.* march, proceed, walk; — bien be making good time

marge *n. f.* margin; en — (de) in the margin (of), close beside

mari *n. m.* husband

marié *adj.* married

marquer *v.* mark; — un point "chalk up" *or* win a point (*in a game*)

massacrer *v.* murder, ruin

masse *n. f.* bulk, mass, number, sledge hammer, stock; *see* vent

matériel *n. m.* material, stock

matériel, -elle *adj.* material, real

matière *n. f.* matter

matin *n. m.* morning; *see* **heure**

Maure *npr.* Moor

Mauritanie *npr.* Mauritania (*region in western Africa just south of 20° north latitude*)

maussade *adj.* cross, sullen

mauvais *adj.* bad

maximum *n. m.* maximum, utmost

mécanicien *n. m.* mechanic

médecin *n. m.* doctor, physician

médiocre *adj.* indifferent, mediocre

méditation *n. f.* meditation, revery

méditer *v.* meditate (upon), muse *or* ponder (over)

meilleur *adj.* better; **le —** best

mélancolie *n. f.* melancholy, sadness; **avec —** mournfully

mélancolique *adj.* dismal, melancholy, mournful

mêler *v.* mingle (*tr.*), mix (*tr.*); **se — mingle** (*intr.*), mix (*intr.*); **se — à** mingle *or* be mixed with; **se — de** meddle with

mélodie *n. f.* melody, music, tune

même *adj.* same (*before noun*), particular *or* very (*after noun*); **l'homme —** the man personally

même *adv.* even; **de — que** in the same way as, just as; **quand —** anyhow; **tout de — all** the same

menace *n. f.* menace, threat

menacer *v.* threaten

Mendoza *npr.* Mendoza; (*city in Argentina, about 600 miles west of Buenos Aires, slightly north of a straight line between Buenos Aires and Santiago*)

mener *v.* lead; **— une lutte** carry on a struggle, fight a battle

menton *n. m.* chin; *see* **poing**

menu *adj.* minute, petty, small, trivial

menuisier *n. m.* cabinetmaker, joiner, carpenter

mer *n. f.* ocean, sea; **en —** at sea, out at sea

mère *n. f.* mother

message *n. m.* message

messager *n. m.* harbinger, messenger

mesure *n. f.* measure, measurement; **à — que** (in proportion) as; **par — disciplinaire** as a disciplinary measure

mesurer *v.* measure

métal *n. m.* metal

métallique *adj.* metallic, of metal

météo *adj.* (*abbreviation for* **météorologique**) meteorological, weather (*adj.*)

météo *n. f.* weather report

méthode *n. f.* method

métier *n. m.* business, calling, duty, habit, job, profession, trade; *see* **parler**

mètre *n. m.* meter (*linear measure, equivalent to 1 yard 3½ inches*); *see* **voir**

mettre *v.* place, put; **— en marche** set in motion, start (*a machine*); **— le cap (à)** steer one's course (toward); **se — à** begin

mieux *adv.* better; *see* **aller, valoir**

milieu *n. m.* environment, middle; **au — de** among, in the middle of

militaire *adj.* military

mille *num.* thousand

millier *n. m.* group of one thousand, thousand

million *n. m.* million

mineur *adj.* minor, in a minor key

mineur *n. m.* miner

minuit *n. m.* midnight, twelve o'clock (*at night*)

minuscule *adj.* minute, tiny

minute *n. f.* minute

miracle *n. m.* marvel, miracle

miraculeux, -euse *adj.* miraculous, wonder-working

mirage *n. m.* delusion, mirage

miroitement *n. m.* flash, glitter

misérable *adj.* not brilliant, pitiful, wretched

misère *n. f.* distress, pettiness, poverty

modeste *adj.* modest, unassuming

modulation *n. f.* modulation

moindre *adj.* less; le — least

moins *adv.* less; le — least; au — at least; de — less; à — que (*conj.*) unless

mois *n. m.* month

moitié *n. f.* half

monde *n. m.* world; tout le — everybody

Monsieur *n. m.* Mister (*term of address*); *see note* 5, p. 8

montage *n. m.* installation, mounting, setting; *see* faire

montagne *n. f.* mountain

monter *v.* come *or* go (up), rise, climb, install *or* mount (*tr.*)

Montevideo *npr.* Montevideo (*capital of Uruguay*)

montre *n. f.* watch

montrer *v.* point out, reveal, show

moral *adj.* mental, moral, spiritual

mordre *v.* bite, bite at (*like a fish*), nibble at

morne *adj.* dreary, gloomy

mort *n. f.* death

mort *adj.* dead; *see* espace

mortel, -elle *adj.* fatal, mortal

mot *n. m.* word

moteur *n. m.* engine, motor; un — chauffe a motor (over)heats

motif *n. m.* "grounds," motive, reason

mou, molle *adj.* flabby, soft

moue *n. f.* pouting, pursing of the lips

mouillé *adj.* drenched, soaked, wet

mourir *v.* die

mouvant *adj.* moving, shifting

mouvement *n. m.* motion, movement

moyen *n. m.* means, method, way

moyeu *n. m.* boss, hub, nave

muet, -ette *adj.* mute, silent

mur *n. m.* wall

mural *adj.* mural, wall- *with noun;* *see* carte

muré *adj.* locked *or* walled in

mûrir *v.* become ripe, ripen

murmure *n. m.* grumbling, murmur

muscle *n. m.* muscle

musical *adj.* musical

musicien *n. m.* musician

musique *n. f.* band, music; *see* kiosque

mutiler *v.* disfigure, mutilate

mystère *n. m.* mystery, obscurity

mystérieusement *adv.* mysteriously

mystérieux, -euse *adj.* mysterious, strange

N

nager *v.* swim

nageur *n. m.* swimmer; — entre deux eaux man swimming under water

naïf, naïve *adj.* ingenuous, simple

naître *v.* be born, rise, spring up; *see* faire

nappe *n. f.* tablecloth

nasse *n. f.* bow-net, eel trap

naturel, -elle *adj.* natural, of nature

naturellement *adv.* naturally

navigant *adj.* navigating; *see* radio

navigation *n. f.* navigation

naviguer *v.* fly (*airplane*), navigate

navire *n. m.* ship, vessel

ne *adv.* not; — . . . aucun (*adj.*) no; — . . . guère scarcely, hardly, very little; — . . . jamais never; — . . . ni . . . ni . . . neither . . . nor . . . ; — . . . nul (*adj.*) no; — . . . nullement not at all, by no means; — . . . pas not; — . . . plus no more, no longer;

— ... **point** not; — ... **que** only; — ... **rien** nothing

néant n. m. nothingness, void

nécessaire adj. necessary, obligatory

nécessaire n. m. what is needed; — **de toilette** dressing-case

nef n. f. nave (of church), ship, vessel

neige n. f. snow; **de** — snow-capped

nettoyer v. clean, polish

neuf, neuve adj. new

ni conj. neither, nor; see **ne**

nickel n. m. nickel-plated accessory or fitting

niveau n. m. level, height (above sea level)

noblesse n. f. nobility, nobleness

nocturne adj. night (adj.), nocturnal, of the night

noir adj. black; see **conscience**

noirâtre adj. blackish

nom n. m. name; **au** — **de** in the name of

nombreux, -euse adj. numerous

non adv. not, no; — **point** not (very emphatic); see **plus**

nord n. m. north

note n. f. communication, note

noter v. describe, enter (a notation), jot down, note

notion n. f. idea, notion

nouer v. contrive, form, invent, knot

nourrir v. cherish, nourish, strengthen

nourriture n. f. food, nourishment

nouveau, -elle adj. new; **de** — again, once more

nouvelle n. f. (piece of) news

noyer v. drown

nu adj. bare, naked

nuage n. m. cloud

nuit n. f. night; **la** — at night; — **blanche** sleepless night; see **passer**

nul, nulle adj. no; see **ne**

nullement adv. not at all; see **ne**

nuque n. f. nape of the neck, back of the head

O

oasis n. f. oasis

obéir v. obey

objection n. f. objection

objet n. m. article, object

obliger v. force, oblige

obscur adj. dark, obscure, unfathomable

obscurément adv. obscurely, vaguely

observation n. f. observation

observer v. comply with (instructions), observe

obstacle n. m. obstacle

obstiné adj. obstinate, self-willed

obtenir v. achieve, get, obtain

obturer v. clog, plug, stop up (a valve)

occupé adj. busy; — **à** with n. busy at or with; — **à** with inf. busy with pres. part.

occuper v. occupy; **s'**— **de** think about

océan n. m. ocean, sea

œil n. m. eye; **yeux grands ouverts**, eyes wide open (both adjectives in French agree with noun); see **coup**

œuvre n. f. enterprise, work (of art)

offensant adj. offensive

offensive n. f. offensive

officiel, -elle adj. official

offrir v. offer, present, provide

oisif, -sive adj. idle, lazy, unoccupied

ombre n. f. darkness, shade, shadow

onde n. f. wave

onze num. eleven

opérateur n. m. (wireless) operator

opération n. m. operation; see **salle**

opinion n. f. opinion

opposer *v.* offer opposition (to); oppose; **s'— à** be contrary to, stand in the way of

or *conj.* now

or *n. m.* gold, golden light

orage *n. m.* storm, tempest

orageux, -euse *adj.* stormy

ordinaire *adj.* ordinary, usual; **d'—** ordinarily, usually

ordonner *v.* order, set in order, set right; **— à** give an *or* the order to; **s'— de soi-même** get into order of one's own accord, go right without attention from anybody

ordre *n. m.* command, order

orgue *n. m.* organ

orgueil *n. m.* pride

origine *n. f.* birth, origin; **d'—** first, original

orner *v.* adorn, deck

osciller *v.* oscillate, quiver

oser *v.* dare

ou *conj.* or; **— bien** or else

où *conj.* at, to *or* in which, where, when (*after expression of time*); **par —** by what way *or* route; *see* **importer**

oublier *v.* forget

ouest *n. m.* west; **plein —** due west

oui *adv.* yes; *see* **faire**

ouragan *n. m.* hurricane

curs *n. m.* bear

outil *n. m.* tool

ouvert *adj.* open; *see* **œil**

ouverture *n. f.* opening; **— de compas** sector, distance between two points of a compass

ouvrier *n. m.* worker, workingman, workman

ouvrir *v.* open (*tr.*), begin; **s'—** open (*intr.*)

P

Pacifique *npr.* Pacific (Ocean)

pain *n. m.* bread

paisible *adj.* calm, peaceful, tranquil, undisturbed

paix *n. f.* peace

pâle *adj.* pale, wan

pâlir *v.* pale, turn pale

panne *n. f.* breakdown, forced landing, (engine) trouble; **en —** becalmed (*of a sailboat*), stalled (by engine trouble)

papier *n. m.* bit of paper, note, paper

par *prep.* by, on, through; **— contre** however, on the other hand; *see* **mesure, où, passer, temps**

paradoxal *adj.* paradoxical

paradoxalement *adv.* paradoxically

Paraguay *npr.* Paraguay

paraître *v.* appear, seem

paralyser *v.* palsy, paralyze

parasite *n. m.* parasite; **—s** (*plur.*) (radio) interference

parce que *conj.* because

parcouru *adj.* traversed

par-dessous *adv.* beneath, underneath

par-dessus *prep.* above, over

pareil, -eille *adj.* alike, similar; **— à** like, the same as; *see* **temps**

parfait *adj.* perfect

parfois *adv.* at times, occasionally, sometimes

parler *v.* speak, talk; **— métier** "talk shop"; *see* **entendre**

parmi *prep.* among

part *n. f.* part, portion, share; **d'autre —** in addition, on the other hand; **de la —** de on the part of, from; *see* **faire, quelque**

partage *n. m.* division, sharing

parti *n. m.* decision; *see* **prendre**

particulier, -ière *adj.* individual, particular, personal, private

particulièrement *adv.* especially, particularly

partie *n. f.* part; *see* **faire**

partir *v.* depart, go, take off (*of airplane*); **à — de** *with expression of time* from *expression of time* on; **— à la conquête de** set out to conquer

parvenir *v.* arrive, come, reach

pas *adv.* not; *see* **ne**

pas *n. m.* step; **à petits —** with short steps; *see* **faire**

passer *v.* exceed, get through, give (*of telephone connection*), pass (along), spend (*of time*); **— des nuits blanches** stay up nights; **— par** come *or* go by (way of); **se —** happen, occur

passion *n. f.* passion

Patagonie *npr.* Patagonia (*vast region in South America forming southern portion of Argentine Republic and Chile*)

patrie *n. f.* home, native country

paume *n. f.* palm (of the hand)

pauvre *adj.* poor, poverty-stricken (*after n.*)

paver *v.* pave

payer *v.* pay

pays *n. m.* country; **— de guerre** country at war, war-torn land

paysan *n. m.* countryman; **—s** country folk

peau *n. f.* hide, skin

pêcheur *n. m.* fisherman

peigner *v.* comb (*tr.*); **se —** comb one's hair

peindre *v.* depict, paint

peine *n. f.* (mental) anguish *or* pain, difficulty; **à —** scarcely

peiner *v.* labor, toil

peinture *n. f.* depiction, painting

pelouse *n. f.* grassplot, lawn

penché *adj.* bowed, leaning, stooping; **— en avant** leaning forward

pencher *v.* bend (*tr.*), incline; **se — bend down** (*intr.*), lean (out), pore (*over a book*), stoop

pendant *prep.* during

pendule *n. f.* clock

pénétrer *v.* cut into, enter, penetrate, pierce

penser *v.* think; **— à** think about; **— with inf.** intend *with inf.*, come near *or* think one is *with pres. part.*

pente *n. f.* bent, inclination, trend

percevoir *v.* become aware of, perceive

perdre *v.* lose

perdu *adj.* isolated, lost, out of the way

père *n. m.* father

perfide *adj.* perfidious, treacherous

péril *n. m.* danger, peril

périlleux, -euse *adj.* dangerous, perilous

période *n. f.* epoch, period

périssable *adj.* perishable

permettre *v.* allow, permit; **— quelque chose à quelqu'un** allow somebody to indulge in something; **— à quelqu'un de** *with inf.* permit somebody *with inf.*; **il est permis à quelqu'un de** *with inf.* somebody is permitted *with inf.*

Pérou *npr.* Peru

perpetuel, -elle *adj.* continuous, perpetual

personnage *n. m.* character (*in novel or play*), personage

personnel, -elle *adj.* personal, private

personnel *n. m.* clerks, staff (*of clerks, of workers*)

pesant *adj.* heavy, weighty

peser *v.* have weight, lie heavy, press, throw one's weight (*literally or figuratively*), weigh

petit *adj.* little, petty, small

pétrir *v.* form, knead

peu *n. m. or adv.* little; **— à —** little by little

peuple *n. m.* people (*sing. or plur.*); **—s** (*plur.*) nations, races

peur *n. f.* fear; **de — que** (for fear) lest; *see* **avoir**

peut-être *adv.* perhaps (*usually followed by inverted order when standing at beginning of clause*)

phare *n. m.* beacon, light, lighthouse; **— à éclipse** intermittent *or* flashing beacon

photographe *n. m.* photographer; (*note* **photographie**)

photographie *n. f.* photograph

phrase *n. f.* phrase, sentence

physique *adj.* physical

pic *n. m.* peak; *see* **Tupugnato**

pièce *n. f.* part, piece

pied *n. m.* foot; *see* **plain, reprendre**

piège *n. m.* snare, trap

pierre *n. f.* stone

pierrerie *n. f.* jewel, precious stone

pilote *n. m.* pilot

pionnier *n. m.* pioneer, trailblazer

piquer *v.* goad, prick, stick, vex

piste *n. f.* runway, tarmac, track

pitié *n. f.* compassion, pity; **pris de —** moved to *or* taking pity; *see* **avoir**

place *n. f.* place, position, space; **sur —** on the spot

placer *v.* place, rank, put

plage *n. f.* expanse, seashore, shore

plaider *v.* plead; **— pour** plead for *or* in behalf of

plain *adj.* flat, level; **de — pied** on an equal footing, on a level

plaindre *v.* pity; *see* **faire**

plaine *n. f.* plain

plainte *n. f.* complaint, despairing call, moan

plaire *v.* please; **— à quelqu'un** please somebody

plaisir *n. m.* pleasure

planche *n. f.* board, piece of wood, plank

planter *v.* place, plant

plaque *n. f.* sheet (*of metal*), slab (*of stone*); **par —s** in spots

Platon *npr.* Plato (*Greek philosopher of first half of fourth century* B.C.)

plein *adj.* full; *see* **sud, ouest**

pleurer *v.* cry, weep

pleuvoir *v.* fall like rain, rain

pli *n. m.* crease, fold, wrinkle

plié *adj.* folded

plier *v.* bend (*tr.*), fold; **se —** bend (*intr.*), bow (*intr.*)

plongée *n. f.* dip, dive, plunge

plonger *v.* dive, pitch

plongeur *n. m.* diver

pluie *n. f.* rain

plus *adv.* more; **le —** most; **— . . . — . . .** the more . . . the more; **— de** *with num.* more than; **de —** additional; **de — en —** more and more; **non —** (*after negative*) either; *see* **fois, ne**

plutôt *adv.* rather

poche *n. f.* pocket

poème *n. m.* poem

poésie *n. f.* poem, poetry

poids *n. m.* weight

poignée *n. f.* handful

poing *n. m.* fist; **le menton au —** with chin resting on one's hand

point *adv.* not; *see* **ne, non**

point *n. m.* point; *see* **marquer**

poitrine *n. f.* breast, chest

police *n. f.* police

polir *v.* polish

politique *n. f.* policy, politics

pomme *n. f.* apple; **— d'Adam** Adam's apple

pommier *n. m.* apple tree

pompe *n. f.* pump; **— à l'huile** oil-pump

ponctualité *n. f.* promptness, punctuality

pont *n. m.* bridge

port *n. m.* harbor, port

porte *n. f.* door, gate

portefeuille *n. m.* pocketbook

porter *v.* carry, reach (*intr.*)

Porto-Allegre *npr.* Porto-Allegre (*city in Brazil, located on a bay about 700 miles southwest of Rio de Janeiro*)

poser *v.* place, pose, put; — **une question** *or* **un problème à quelqu'un** ask somebody a question, put a problem to somebody; — **un rébus** ask a riddle

position *n. f.* position; **feux de** — flying lights (*on each wing and at rear to show position of airplane in flight*); *see* **indicateur**

posséder *v.* possess, seize

possible *adj.* possible

postal *adj.* mail, postal

poste *n. m.* post, station; — **d'écoute T. S. F.** wireless *or* radio receiving station; — **T. S. F.** wireless station; *see* **radio**

poste *n. f.* mail, post

pour *prep.* for, in order to; — **que** (*conj.*) in order that

pourquoi *adv.* why

pourrir *v.* get rotten, ruin, rot

poursuite *n. f.* pursuit; **à la** — **de** pursuing, in quest of

poursuivre *v.* continue, pursue

pourtant *adv.* however, nevertheless, still, yet

pourvu que *conj.* provided that

pousser *v.* drive, push (open), shove, thrust; — **en place** put carefully *or* firmly in place

poussière *n. f.* dust

pouvoir *v.* be able, can, may; **ne plus rien** — be able to do nothing more; **ne pas** *or* **plus** — **ne pas** *with inf.* be unable to help or avoid *with pres. part.*

pouvoir *n. m.* potency, power

prairie *n. f.* prairie, (pasture) land

pratique *adj.* practical

précaution *n. f.* caution, precaution

précédent *adj.* preceding

précéder *v.* precede

précieusement *adv.* like a treasure, preciously

précieux, -euse *adj.* precious, valuable

précis *adj.* accurate, precise

précision *n. f.* accuracy, exactness, precision

préface *n. f.* preface

premier, -ère *adj.* first

prendre *v.* assume, catch, get, take (on); — **des sanctions** impose (heavy) penalty; — **le dessus** take the upper hand; — **au serieux** take seriously; **en** — **son parti** make an obligatory decision, decide unwillingly, resign oneself; **qu'est ce qui te prend?** what's the matter with you?, what's "gotten into" you?; *see* **pitié**

préparer *v.* prepare (for); **se** — be coming, be brewing *or* brooding

près (*with or without* **de**) *conj.* near; **de** — (*adv.*) close, closely

présence *n. f.* presence, person *or* thing present

présent *n. m.* present (time); **jusqu'à** — until now

présent *adj.* present

présenter *v.* present; **se** — appear, present oneself; **se** — **mal** look bad

préserver *v.* preserve, protect

presque *adv.* almost

pressentir *v.* have a presentiment (of)

presser *v.* hurry (*tr.*), press, urge; **se** — crowd, hasten (*intr.*), hurry (*intr.*), throng

pression *n. f.* pressure; — **de l'huile** oil pressure

prestige *n. m.* prestige

prêt *adj.* in readiness, ready; — **à** about to, ready to

prétendre *v.* aspire, hope, intend, wish

prêter *v.* lend; — **à** give reason for

preuve *n. f.* evidence, proof; *see* **faire**

prévenir *v.* inform, warn

prévoir *v.* foresee

prévu *adj.* foreseen, scheduled

prier *v.* ask, beg, request; **je vous en prie** please (*very emphatic*)

prime *n. f.* bonus, premium; *see* **faire**

primer *v.* excel, take precedence over

primitif, -tive *adj.* original, primitive

prise *n. f.* capture, taking; — **d'air** air intake

prison *n. f.* prison

prisonnier *n. m.* captive, prisoner

prisonnière *n. f.* captive, prisoner

privé *adj.* private

priver *v.* deprive, take from

prix *n. m.* price; **à tout** — at any cost

probablement *adv.* probably

problème *n. m.* problem, question; *see* **poser**

prochain *adj.* following, nearest, next

proche *adj.* close at hand, near

procurer *v.* get, procure; — **à** get *or* procure for

prodigieux, -euse *adj.* extraordinary, prodigious

produire *v.* produce; **se** — happen

profiter *v.* profit, take advantage

profond *adj.* deep, profound

profondeur *n. f.* depth, profundity

progresser *v.* advance, progress

projet *n. m.* intention, plan, project

prolonger *v.* prolong

promenade *n. f.* avenue, excursion, stroll, walk; *see* **faire**

promener *v.* carry about, lead about, take for a walk; — **son**

doigt **sur** run *or* pass one's finger over; **envoyer** — send about one's business, "tell where to get off"; **se** — go for a walk, stroll, walk (*intr.*)

promis *adj.* promised

prononcer *v.* pronounce, utter

propager *v.* propagate, spread (*news*)

proposer *v.* propose, suggest

propre *adj.* own (*before noun*), clean (*after noun*)

propriété *n. f.* property

prospecteur *n. m.* prospector

protection *n. f.* protection; *see* **télégramme**

protéger *v.* protect

prouesse *n. f.* heroic action, prowess

prouver *v.* give evidence of, prove

province *n. f.* province, region, country (*opposite of capital city*)

provision *n. f.* stock, store; —**s blanches** (great) sources *or* fountains of whiteness

prudent *adj.* careful, prudent

psychologique *adj.* psychological

public, -ique *adj.* public

pudeur *n. f.* bashfulness, modesty

puis *adv.* then

puisque *conj.* because, since

puissance *n. f.* power, strength

puissant *adj.* lusty, powerful, strong

puits *n. m.* pit, shaft, well

punir *v.* punish

pur *adj.* pure; *see* **ciel**

pylône *n. m.* pylon

Q

qualité *n. f.* character, quality

quand *conj.* when; *see* **même** (*adv.*)

quant à *prep.* as for, with respect to

quarante *num.* forty; *see* **heure**

quart *n. m.* quarter; *see* **heure, ciel**

quatre-vingts *num.* eighty

que *adv.* how, how much

que *conj.* as, than, that; **c'est —** the fact is that, it *or* that is because

quel, -elle *adj.* what (*interrogative*), what kind of, what (a) (*interj.*); *see* faire, heure

quelconque *adj.* of any kind, of some kind or other

quelque *adj.* some; **—s** (*plur.*) a few; **— chose** (*2 words*) something; **— chose de** *with adj.* something *with adj.*; **— part** somewhere

quelquefois *adv.* sometimes

quelqu'un, -une *pro. m. and f.* a person, somebody

question *n. f.* question

Quinton *npr.* René Quinton (*French biologist* [*1866–1925*]; *encouraged development of aviation*)

quinzaine *n. f.* group of fifteen, fortnight, two weeks

quinze *num.* fifteen

quitter *v.* leave, take one's hands off

quoi *pro.* what; **— que** *with subjunctive* whatever; **à — bon** *with inf.* what's the use of *with pres. part.*; **on ne sait —** *or* je ne sais **—** an indefinite something, something or other

quotidien, -enne, *adj.* daily

R

rabattre *v.* bring down; **se —** fall (down)

raconter *v.* recount, relate

rade *n. f.* roads, roadstead (*for ships*)

radio *n. m.* radio operator; **— navigant** radio operator (*on airplane*)

radio *n. f.* radio; **poste —** radio station

radiotélégraphiste *n. m.* radio operator

radium *n. m.* radium; **de —** luminous (*of figures on watch dials, etc.*)

rafale *n. f.* gust, squall

râfler *v.* sweep away

rage *n. f.* anger, rage

raison *n. f.* argument, reason; *see* avoir

ralentir *v.* slacken, slow down (*tr.*); **au ralenti** (*past part.*) (brought to the point of) running slowly, idling (*motor*)

ramasser *v.* assemble (*tr.*), collect (*tr.*), concentrate (*tr.*); **se —** assemble (*intr.*), collect (*intr.*)

rame *n. f.* ream (*of paper*)

ramener *v.* bring (back)

rancune *n. f.* ill will, rancor

rang *n. m.* category, rank

ranimer *v.* give new life to, revive

rapide *n. m.* express (*train*)

rapide *adj.* fast, quick, rapid

rappeler *v.* call back; **se —** recall, remember

rapport *n. m.* report

rapprocher *v.* bring near *or* nearer; **— de** bring near to; **se — (de)** draw closer (to)

ras *n. m.* level; **au — de** close to, on a level with

rassurer *v.* reassure

rayon *n. m.* beam, circuit, radius, ray

rayonnant *adj.* beaming, radiant

rayonnement *n. m.* radiance

rebondir *v.* bump (*intr.*), rebound

rébus *n. m.* conundrum, rebus, riddle; *see* poser

recevoir *v.* get, receive

rechauffer *v.* heat (again), warm

recherche *n. f.* hunting, quest, search

récit *n. m.* story, tale

réclamer *v.* claim, demand; **—**

quelque chose à quelqu'un demand something of somebody

recomposer v. form again, recompose

reconnaître v. recognize

reconquérir v. reconquer, regain

recoucher v. put to bed again; se — go to bed again

rectifier v. rectify

recuser v. reject, refuse to recognize

rédaction n. f. drawing up or preparation (of statement)

redevenir v. become again

rédiger v. draw up (a statement), write

redoutable adj. redoubtable, to be dreaded or feared

redouter v. dread, fear

redresser v. raise, straighten, set upright; se — straighten up, stand erect

réduire v. reduce, diminish, get under control, subdue

réel, -elle, adj. real, true

réellement adv. really, truly

refaire v. do over, overhaul

refermer v. close again (tr.); se — close again (intr.)

réfléchir v. meditate, ponder, reflect

réflexion n. f. consideration, reflection

reflux n. m. ebb tide; see flux

refuge n. m. refuge, shelter

refuser v. decline, deny, refuse, withhold

regagner v. regain, return to

regard n. m. glance, look

regarder v. look (at), view; — par la fenêtre look out or through the window (at)

régime n. m. speed (of a motor)

registre n. m. account book, register

règle n. f. order, rule

règlement n. m. regulation, rule

régler v. arrange, regulate

régner v. hover, reign

regret n. m. regret

regretter v. be sorry (for), regret

régulier, -ière adj. regular, regulation

rejeter v. cast aside, reject

rejoindre v. come up to, overtake, rejoin, return (to)

réjouir v. gladden; se — (de) be glad (of)

relever v. lift (again), raise

relier v. bind, join

religion n. f. religion

relire v. read again, reread

remarquer v. note, notice, remark

remonter v. bring, carry or lift up (tr.); come up, come to the surface, go up, toil up again; — à date from

remords n. m. poignant regret, remorse

remous n. m. eddy, squall, swirl; see corriger

remplacer v. replace

remplir v. fill

remuer v. move, stir

rencontre n. f. chance meeting, conjuncture; see faire

rencontrer v. find, happen upon, meet, run across

rendormir v. lull to sleep again; se — go to sleep again

rendre v. make, produce, render, surrender (tr.), throw off, yield; se — betake oneself, go

renoncer v. renounce; — à quelque chose give something up; — à with inf. give up the idea of with pres. part.

renseignement n. m. (bit of) information

rentrée n. f. return (home), returning

rentrer v. come or go in again,

come *or* go home, reenter; — chez soi come *or* go home

renversé *adj.* bent back, thrown back

renverser *v.* invert, overturn, turn round (*tr.*)

renvoyer *v.* reflect, send back

répandre *v.* send forth, spread abroad

réparer *v.* repair

repartir *v.* depart (again), set out again

repas *n. m.* luncheon, meal

repère *n. m.* guiding mark, mark

répéter *v.* repeat

réplique *n. f.* answer, retort

répliquer *v.* reply, retort

répondre *v.* answer, reply; — à answer (somebody *or* something)

réponse *n. f.* answer, reply, response

repos *n. m.* quiet, repose, rest

reposer *v.* lie, repose, rest

repousser *v.* push back, repulse, thrust aside

reprendre *v.* catch (again), come upon (again), continue, overtake (again), take (again); — pied get one's feet on the ground again

reprocher *v.* reproach; — quelque chose à quelqu'un reproach somebody for something

répugner *v.* be repugnant; il lui répugne de *with inf.* it is repugnant to him *with inf.*, he feels loath *with inf.*

réseau *n. m.* network, system (*of railroads, etc.*)

réserve *n. f.* reservation, reserve, reserves; les —s vont donner, the reserves are going to enter the fray

réservé *adj.* guarded, reserved, safe (*harbor*)

résidu *n. m.* residue, residuum

résistance *n. f.* inertia, resistance

résonance *n. f.* resonance

résoudre *v.* decide, resolve, settle; se — decide; se — à decide

respect *n. m.* deference, respect

respirer *v.* breathe; — bien breathe deeply *or* freely; — fortement take a deep breath, breathe deeply

responsabilité *n. f.* responsibility

responsable *adj.* responsible; — de responsible for

ressembler *v.* be like, resemble; — à quelqu'un resemble somebody

ressentir *v.* feel, resent

reste *n. m.* remainder, rest; de — besides, moreover

rester *v.* be left, remain, stay (*where one is*); — à faire quelque chose remain *or* stand doing something; il leur reste cela they have that left

rétablir *v.* reestablish, repair, restore

retard *n. m.* delay, lateness; *see* avoir

retarder *v.* delay, retard

retenir *v.* restrain, withhold

retirer *v.* pull off, withdraw; se — withdraw (*intr.*)

retomber *v.* fall back, fall down

retour *n. m.* return

retourner *v.* return (*tr.*), return (*intr.*); se — turn round (*intr.*)

retraite *n. f.* retreat

retrancher *v.* cut off; se — intrench oneself

retrouver *v.* find *or* see (again)

réussir *v.* (*when intr.*) succeed; (*when tr.*) succeed in doing, carry through

revanche *n. f.* getting even, retaliation, revenge

rêve *n. m.* dream, meditation

réveiller *v.* rouse, wake; se — wake up (*intr.*)

révéler v. disclose, reveal

revenir v. come back, go back, occur to (being remembered by), return; — **contre** assail, attack, surge toward (like waves)

rêver v. dream, imagine, muse

revoir v. see (again); **au** — goodbye (until we see each other again), good-day, good-night

révolte n. f. rebellion, revolt

révolter v. disgust, revolt; **se** — mutiny, revolt (intr.)

riche adj. rich, wealthy; **être** — **de** be possessor of

richesse n. f. richness, wealth

ride n. f. furrow, ripple, wrinkle

rideau n. m. curtain

ridicule adj. absurd, ridiculous

rien pro. nothing; — **de** with adj. nothing with adj.; see **ne**

Rio-de-Janeiro npr. Rio de Janeiro (capital of Brazil)

riposter v. reply (with anger or warmth), retort

rire v. laugh

rire n. m. laugh

risque n. m. risk

risquer v. risk; — **de** with inf. run the risk of with pres. part.

rite n. m. rite

rivage n. m. shore

roc n. m. rock

rôle n. m. rôle; **douter de son** — doubt whether one is in the right rôle, lose confidence in oneself

rompre v. break; **se** — break up (intr.), "crack up"

rompu adj. broken; — **de fatigue** broken down with weariness, "dog-tired"

rond n. m. circle, ring; see **tourner**

rose adj. pink, rose-colored

rouge adj. red

rougir v. blush, turn red

rouille n. f. rust; **touché par la** — slightly rusted

rouler v. glide, move, roll

route n. f. road, route, street; **en** — on the way; **en** —! be on your way, let's go; **feuille de** — report of flight

royaume n. m. domain, realm, kingdom

rude adj. coarse, rough, rude

rue n. f. street

ruiné adj. ruined

ruisseler v. flow, run, stream

ruissellement n. m. streaming, flow

rythme n. m. rhythm

S

sable n. m. sand

sac n. m. bag, kit, sack

sacré adj. holy, sacred

sacrifice n. m. sacrifice

sacrifier v. sacrifice (tr. or intr.)

sagesse n. f. wisdom, gentleness (of animals), good behavior (of children)

Sahara npr. Sahara (Desert)

saisi adj. seized, struck; — **de** seized with, struck by

saisir v. seize

saisissant adj. remarkable, striking

sale adj. dirty, filthy, foul

salle n. f. room; — **d'opération** operating room (in hospital)

saluer v. greet, salute; — **de** salute with

San Antonio npr. San Antonio (seaport in Argentina, about 550 miles south of Buenos Aires)

San Julian npr. San Julian (seaport in Argentina, about 1100 miles south of Buenos Aires)

sanction n. f. sanction, penalty; see **prendre**

sanctuaire n. m. refuge, sanctuary

sang n. m. blood

sans prep. without; see **but**

santé *n. f.* health; *see* lâcher

Santiago *npr.* Santiago (*capital of Chile*)

Santos *npr.* Santos (*seaport of Brazil, about 225 miles west of Rio de Janeiro*)

sauter *v.* blow up (*intr.*), jump, leap, spring; *see* faire

sauvage *adj.* inhuman, savage, wild

sauver *v.* rescue, save

savant *n. m.* learned man, scholar

saveur *n. f.* flavor

savoir *v.* be aware of, know, know how, be able; — gré à quelqu'un de quelque chose be grateful to somebody for something

savourer *v.* enjoy, savor

scier *v.* cut (*as with a saw*), saw

scintiller *v.* sparkle, twinkle

second *adj.* second

seconde *n. f.* moment, second

secouer *v.* jolt, shake, stir

secourir *v.* aid, help

secours *n. m.* aid, help; *see* lampe, terrain

secousse *n. f.* jolt, shock

secret *n. m.* secret

secret, -rète *adj.* hidden, secret

secrétaire *n. m.* clerk, secretary

secrètement *adv.* secretly

sécurité *n. f.* security

selon *prep.* according to

semaine *n. f.* week

semblable *adj.* like (this *or* these), similar

sembler *v.* seem

semé *adj.* filled, fraught, sown

semer *v.* sow

sens *n. m.* meaning, sense

sentiment *n. m.* feeling, sense, sentiment

sentimental *adj.* romantic, sentimental

sentir *v.* feel, perceive, sense; se —

with *adj.* feel (oneself to be) *with adj.*

sept *num.* seven

sergent *n. m.* sergeant

sérieux, -euse *adj.* serious; *see* prendre

serré *adj.* pressed, tight; *see* chevelure, cœur, dents

serrement *n. m.* contraction, pressing; *see* cœur

serrer *v.* beset, hold, press, squeeze, tighten, wrap tight

service *n. m.* service, task; — commandé prescribed task, obligatory service; — *or* —s (*plur.*) men on duty; de — routine (*adj.*)

servir *v.* be of service, serve

seul *adj.* alone, only, sole; *see* coup, immobilité

seulement *adv.* only

sévère *adj.* harsh, severe, stern

sévérité *n. f.* severity, strictness

si *adv.* so

si *conj.* if, whether

siècle *n. m.* age, century

siège *n. m.* seat, siege

siffler *v.* hiss, whistle

signal *n. m.* signal

signaler *v.* point out, report, signal

signature *n. f.* signature, signing

signe *n. m.* indication, sign, token; *see* faire

signer *v.* sign

silence *n. m.* silence

silencieux, -euse *adj.* silent

sillage *n. m.* furrow, wake (*of a ship*)

sillon *n. m.* furrow, field (*under cultivation*)

simple *adj.* average, ordinary, simple

simplement *adv.* simply

sinon *conj.* except (it be)

sinon *adv.* otherwise

six *num.* six

sobre *adj.* sober, succinct

soigneusement *adv.* carefully, with care

soin *n. m.* care

soir *n. m.* evening; au — de toward the close of (life *or* prolonged activity); *see* heure

sol *n. m.* ground, soil

soleil *n. m.* sun; *see* coucher *n.*

solide *adj.* firm, solid

solidement *adv.* firmly, solidly

solitaire *adj.* alone, isolated, solitary

solitude *n. f.* solitude

solution *n. f.* solution

sombre *adj.* dark, somber

sombrer *v.* founder, go down

sommeil *n. m.* sleep, sleepiness

sommet *n. m.* peak, summit, top

somnoler *v.* drowse

son *n. m.* sound

sonate *n. f.* sonata

songe *n. m.* deep thought, dream, imagination; *see* faire

songer *v.* dream, muse, think

sonner *v.* make a sound, resound, ring, sound

sonnerie *n. f.* bell, ringing, sound

sort *n. m.* fate

sorte *n. f.* kind, manner, sort

sortir *v.* come *or* go out, take out

sottise *n. f.* folly

soudain *adv.* all of a sudden, suddenly

souffle *n. m.* breath

souffrance *n. f.* pain, suffering

souffrir *v.* suffer

soulager *v.* console, relieve, solace

soulever *v.* lift up, raise

soumis *adj.* conquered, (brought) under submission

souple *adj.* flexible, versatile

source *n. f.* fountain, source, spring

sourcier *n. m.* source-finder, spring-finder (*with divining rod*)

sourd *adj.* deaf, dull, hollow, rumbling

sourdre *v.* rise, well up

sourire *n. m.* smile

sourire *v.* smile

sournois *adj.* sly

sous *prep.* beneath, under

soutenir *v.* hold up, support

souvenir *n. m.* memory, recollection, souvenir

se souvenir *v.* remember (*intr.*); — de remember (*tr.*)

spirale *n. f.* spiral

splendeur *n. f.* refulgence, splendor

spontané *adj.* spontaneous, voluntary

sportif, -ive *adj.* of sport, sporting

stable *adj.* stable, steady

stagner *v.* be stagnant, stand

standard *n. m.* model, standard; — téléphonique (telephone) switchboard

steppe *n. m. or f.* pampas, steppe

stérile *adj.* barren, futile, unfruitful

stimuler *v.* spur (on), stimulate

stock *n. m.* provision, stock

stopper *v.* stop (*train, steamer, automobile*)

subalterne *n. m.* inferior, subaltern

subir *v.* go through, suffer, undergo

subordonner *v.* subordinate

successivement *adv.* in succession, successively

sud *adj. indeclinable* south, southern, southerly (*winds*)

sud *n. m.* south; plein — due south

sueur *n. f.* perspiration, sweat

suffire *v.* be enough, suffice

suinter *v.* leak, ooze

suite *n. f.* series, succession; de — in succession; tout de — immediately

suivant *adj.* following, next

suivre *v.* follow, support

sujet *n. m.* subject

support *n. m.* rest, stay, support

sur *prep.* on, over to; *see* **donner, place**

sûr *adj.* certain, sure; *see* **bien, coup**

sûrement *adv.* surely

surhumain *adj.* superhuman

surpassement *n. m.* exceeding, surpassing

surprendre *v.* astonish, catch, surprise, take by surprise; **surpris** (*past part.*) **de** astonished at *or* by; **surpris** (*past. part.*) **par** caught *or* surprised by

surprise *n. f.* surprise

surtout *adv.* above all, especially

surveiller *v.* observe, watch over

survoler *v.* fly over

susceptible *adj.* capable, subject, susceptible

suspendre *v.* suspend

T

table *n. f.* table

tableau *n. m.* board, chart, panel, picture; **— de distribution électrique** instrument board, instrument panel

tache *n. f.* area, patch, spot

tâche *n. f.* task

tactique *n. f.* tactics

taille *n. f.* height, size

taire *v.* make silent, silence; **se —** remain silent, say nothing, wax silent

talent *n. m.* ability, talent

tandis que *conj.* while

tant *adv.* so, so many, so much

taper *v.* hammer *or* peck (*a typewriter*), tap, strike

tapis *n. m.* rug, table covering; **— vert** card table, council table (*used in meeting of board of directors of a firm*)

tapoter *v.* pat, strum, tap

tard *adv.* late; *see* **tôt**

tassé *adj.* huddled, sunk

tâter *v.* feel, touch

tâtonner *v.* feel about, fumble

technique *adj.* scientific, technical

teinter *v.* tint

tel, telle *adj.* such, "such and such" (*detail to be supplied later*); **—** *with or without* **que** like, such as

télégramme *n. m.* telegram; **— de protection** telegraphic weather report (*for guidance and protection of airplanes*)

télégraphique *adj.* telegraphic

téléphone *n. m.* telephone

téléphoner *v.* call (*by telephone*), telephone

téléphoniste *n. m.* telephone operator, telephonist

tellement *adv.* so, so much, in such a way

témérité *n. f.* rashness, temerity

témoigner *v.* show, testify; **— de** give evidence *or* proof of

témoin *n. m.* witness

tempête *n. f.* storm, tempest

temple *n. m.* temple

temps *n. m.* time (*extent*), epoch, pause, weather; **par un — pareil** in such weather, with the weather as it is *or* was; *see* **faire**

ténacité *n. f.* tenaciousness, tenacity

tendre *v.* hand over, offer, stretch; **— à** *with inf.* tend *or* have a tendency *with inf.*

tendre *adj.* affectionate, gentle, tender

tendresse *n. f.* affection

tendu *adj.* firm, taut, tense; **— de** carpeted *or* covered with; **à bras —s** at arm's length

tenir *v.* be contained, find a place, hold, keep; **— trop dur** bind, drag (*of a bearing*); **— à** be fond of, insist on, prize; **se le — pour dit** not to require twice telling

tentation *n. f.* temptation

tenter *v.* lure, tempt, try

terminer *v.* end, terminate

terrain *n. m.* (piece of) ground, landing field; — **de secours** emergency landing field; *see* **atterrissage**

terre *n. f.* earth, land

terrible *adj.* awful, dreadful, terrible

territoire *n. m.* territory

tête *n. f.* head; *see* **enfouir, faire**

texte *n. m.* text

théâtre *n. m.* stage, theater

tiède *adj.* lukewarm, tepid

timidement *adv.* timidly

tirer *v.* drag, draw, haul, pull on; **se —** **d'affaire** get along, get out of a "fix"

titre *n. m.* title

toilette *n. f.* dressing, dressing-table; *see* **nécessaire**

tolérable *adj.* bearable, permissible, tolerable

tolérer *v.* permit, tolerate

tomber *v.* fall, be forced down (*of airplanes*)

ton *n. m.* aspect, note, tone

tonne *n. f.* ton

torche *n. f.* torch

torrent *n. m.* stream, torrent

tort *n. m.* fault, wrong; *see* **donner**

tôt *adv.* early, soon; — **ou tard** sooner or later

totalement *adv.* completely, totally

toton *n. m.* teetotum, (six-sided) top (*with figures or words on sides, used in gaming*)

touchant *adj.* moving, touching

toucher *v.* reach, touch; — **à** have to deal with, meddle with, touch; *see* **rouille**

toujours *adv.* always, still

Toulouse *npr.* Toulouse (*city in southern France, important aviation center*)

tour *n. m.* turn, revolution (*of a motor*); **à son —** in (his, her, its) turn; *see* **faire**

tour *n. f.* tower

tourmenter *v.* bother, torment, worry

tourner *v.* reel, turn; — **en rond** go round in a circle

tournoyer *v.* turn *or* whirl round and round

tousser *v.* cough

tout *adj.* all; *see* **heure, monde, prix**

tout *pro.* all, everything

tout *adv.* entirely, quite; — **à fait** quite, wholly; *see* **heure, même, suite**

trace *n. f.* mark, trace

tracer *v.* lay out, plan, trace

tragique *adj.* tragic

tranquille *adj.* calm, peaceful, quiet, tranquil

tranquillité *n. f.* calm, peace, tranquillity

transborder *v.* transfer (*cargo from one carrier to another*), transship

transit *n. m.* transit

transmettre *v.* forward, transmit

transparent *adj.* clear, cloudless, transparent

transport *n. m.* transport, transportation

travail *n. m.* work

travailler *v.* labor, work

travers *n. m.* breadth; **à —** (*prep.*) through

traversée *n. f.* crossing, trip (*by sea or air*)

traverser *v.* cross, go over *or* through

Trelew *npr.* Trelew (*city in Argentina, about 700 miles southwest of Buenos Ayres, slightly inland*)

tremblement *n. m.* quaking, shivering, trembling

tremblent *adj.* flickering, trembling, tremulous

trembler *v.* shake, tremble, vibrate

trente *num.* thirty; *see* **heure**

très *adv.* very

trésor *n. m.* treasure, treasury

tressaillir *v.* shudder, tremble

tresser *v.* braid, weave

triste *adj.* gloomy, sad

tristesse *n. f.* gloom, melancholy, sadness

trois *num.* three

trombe *n. f.* waterspout, whirlwind

tromper *v.* beguile, counteract, deceive, mislead; *see* **attente**

trompeur, -euse *adj.* delusive, false, misleading

trop *adv.* too

trottoir *n. m.* pavement, sidewalk

trou *n. m.* hole, pit

troubler *v.* disturb, trouble, worry; **se —** become confused

troupeau *n. m.* flock

trouver *v.* find; **se —** be

T. S. F. (*abbreviation for* **télégraphie sans fil**) wireless (*telegraph*); *see* **poste**

tumulte *n. m.* noise, tumult, uproar

Tupungato *npr.* Tupungato (*also called* **Pic Tupungato**. *Snowcovered mountain peak, about 75 miles west of Santiago, and on direct line between that city and Mendoza*)

tutoyer *v.* speak familiarly with, use "tu" when speaking with

type *n. m.* model, type

U

unique *adj.* lone, simple, sole

unir *v.* join, unite

urgence *n. f.* pressure, urgency; **d'—** in haste

user *v.* use up, wear out; **— de** use

usine *n. f.* factory, (manufacturing) plant

usure *n. f.* wear and tear

utile *adj.* useful

utilement *adv.* usefully

utiliser *v.* make use of, utilize; **— heureusement** make excellent use of

V

va *v.*: *see* **aller**

vaciller *v.* be unsteady, vacillate

vague *n. f.* wave

vague *adj.* indefinite, vague

vain *adj.* futile, useless, vain

vaincre *v.* conquer

vainqueur *n. m.* conqueror

valeur *n. f.* quality, value, worth

valise *n. f.* bag, valise

vallée *n. f.* valley

valoir *v.* be of consequence, be worth; **— mieux** be better, be worth more

vanité *n. f.* self-conceit, vanity

vanter *v.* cry up, praise, vaunt

vaste *adj.* enormous, great, immense, vast

veille *n. f.* eve, day *or* night before; night duty, vigil, watch; **de —** on duty

veiller *v.* stand watch, watch

veilleur *n. m.* watchman

veine *n. f.* vein

velours *n. m.* velvet; **de —** soft as velvet, velvety

venir *v.* come; **— de** *with inf.* have just *with past part.;* **— (à l'esprit) à quelqu'un** come to somebody's mind, occur to somebody

vent *n. m.* wind; **— nul** no wind, (velocity of) wind zero; **contre la masse du —** against the (sledge-hammer) force of the wind, to windward

ver *n. m.* worm; **— luisant,** glowworm

verglas *n. m.* hoar frost, ice

vérifier v. check, examine, verify

vérité n. f. truth

verre n. m. glass

vers prep. to, toward

verser v. cast, pour, shed

vert adj. green; see **tapis**

vertical adj. perpendicular, vertical

vertige n. m. dizziness, giddiness, vertigo

vertigineux, -euse adj. dizzy, giddy

vertu n. f. courage, heroism, virtue

verve n. f. animation, spirit

vêtement n. m. garment, piece of clothing

vibrer v. vibrate, oscillate, quiver

victoire n. f. success, victory

victorieux, -euse adj. conquering, victorious

vide adj. empty

vide n. m. emptiness, vacuum, void

vider v. drain, empty

vie n. f. life

vieillesse n. f. old age

vieillir v. age, grow old

vierge adj. virgin, virginal

vieux, vieille adj. old; **mon vieux** "old top," "old man"

vif, vive adj. keen, passionate

village n. m. town, village

ville n. f. city, town

vingt num. twenty

violent adj. violent

virer v. change one's course, tack, turn, veer

viril adj. manly, virile

visage n. m. countenance, face, visage

visible adj. visible

vision n. f. sight, vision

visite n. f. call, visit

visiter v. examine, inspect, visit

vite adv. fast, quickly, rapidly, violently

vitesse n. f. speed; **à la — de** with the speed of

vitrine n. f. display case, glass case

vivant adj. alive, living

vivre v. live, be alive; **— de** live by or on

voici adv. here is or are; **— que, lo** and behold, to one's surprise

voie n. f. right of way, track

voilà adv. there is or are, there!; **— que lo** and behold, to one's amazement

voile n. m. mist, veil

voile n. f. sail

voilier n. m. sailing vessel

voir v. see; **n'avoir rien à y —** have nothing to do with it; **ne pas — à dix mètres** not to be able to see ten meters ahead of oneself; **voyons!** why!, just think!; **on verra ça** we will look into that, we will see about that

voisin adj. nearby, neighboring

voiture n. f. automobile, carriage

voix n. f. voice; **à — basse** in an undertone or whisper

vol n. m. flight; **— de nuit** night flight

volant n. m. control, (steering) wheel (of automobile or airplane)

volcan n. m. volcano

voler v. fly; **— à la boussole** fly by compass or "blind"

voleur n. m. robber, thief

volonté n. f. will

vouloir v. wish; **— bien** see fit, be willing; **en — à quelqu'un** be angry with somebody; **que voulez-vous?** what do you expect?, it is unavoidable; **comment veux-tu que je sache?** how do you expect me to know?

voûte n. f. arch, vault

voyage n. m. trip, voyage

voyageur n. m. traveler

vrai adj. genuine, real, true; see **dire**

vraiment *adv.* really, truly

vue *n. f.* sight, view

vulgaire *adj.* common, of the crowd, vulgar

vulnérable *adj.* vulnerable

Y

yeux *n. m. plur.: see* œil

Z

zèle *n. m.* ardor, zeal